有斐閣新書

古典入門

プラトン
ソクラテスの弁明

〈付〉クリトン・パイドン

戸塚七郎 編

目次

◎ 執筆者紹介

戸塚　七郎（とつか　しちろう）　〈編者〉

1925年北海道生まれ。1950年京都大学文学部哲学科卒。

現在，東京都立大学人文学部教授。

〔著作〕 アリストテレス「生成消滅論」「問題集」(翻訳，『アリストテレス全集』第4巻，第12巻，岩波書店)，プラトン「テアイテトス」(翻訳，『プラトン全集』第2巻，角川書店)，『プラトン』(牧書店)，「パラデイグマ説における模倣と類似について」(『西洋古典学研究』第27号，1979)

新海　邦治（しんかい　くにはる）

1940年山梨県生まれ。1962年東京学芸大学卒。1967年東京都立大学大学院人文科学研究科博士課程修了。

現在，日本女子大学一般教育課程助教授。

〔著作〕 プラトン「ソフィスト」「法律補遺」(翻訳，『プラトン全集』第2巻，第10巻，角川書店)，J. M. ツェンプ『アリストテレス』(翻訳，理想社)，「『ソピステス』の虚偽論」(東京都立大学哲学会『哲学誌』第10号，1967)

小沢　克彦（おざわ　かつひこ）

1942年東京都生まれ。1965年中央大学卒。1970年東京都立大学大学院人文科学研究科博士課程修了。

現在，岐阜大学教育学部助教授。

〔著作〕 プラトン「エデュクシアス」「アクシオコス」(翻訳，『プラトン全集』第10巻，角川書店)，「ソクラテスにおける行為の構造」「芸術における知識と超越性――ソクラテスとムーサの途」(『岐阜大学教育学部研究報告人文科学』第25巻，第26巻，1978)

序章　ソクラテス――人と思想　（戸塚七郎）

ソクラテス像（大英博物館）

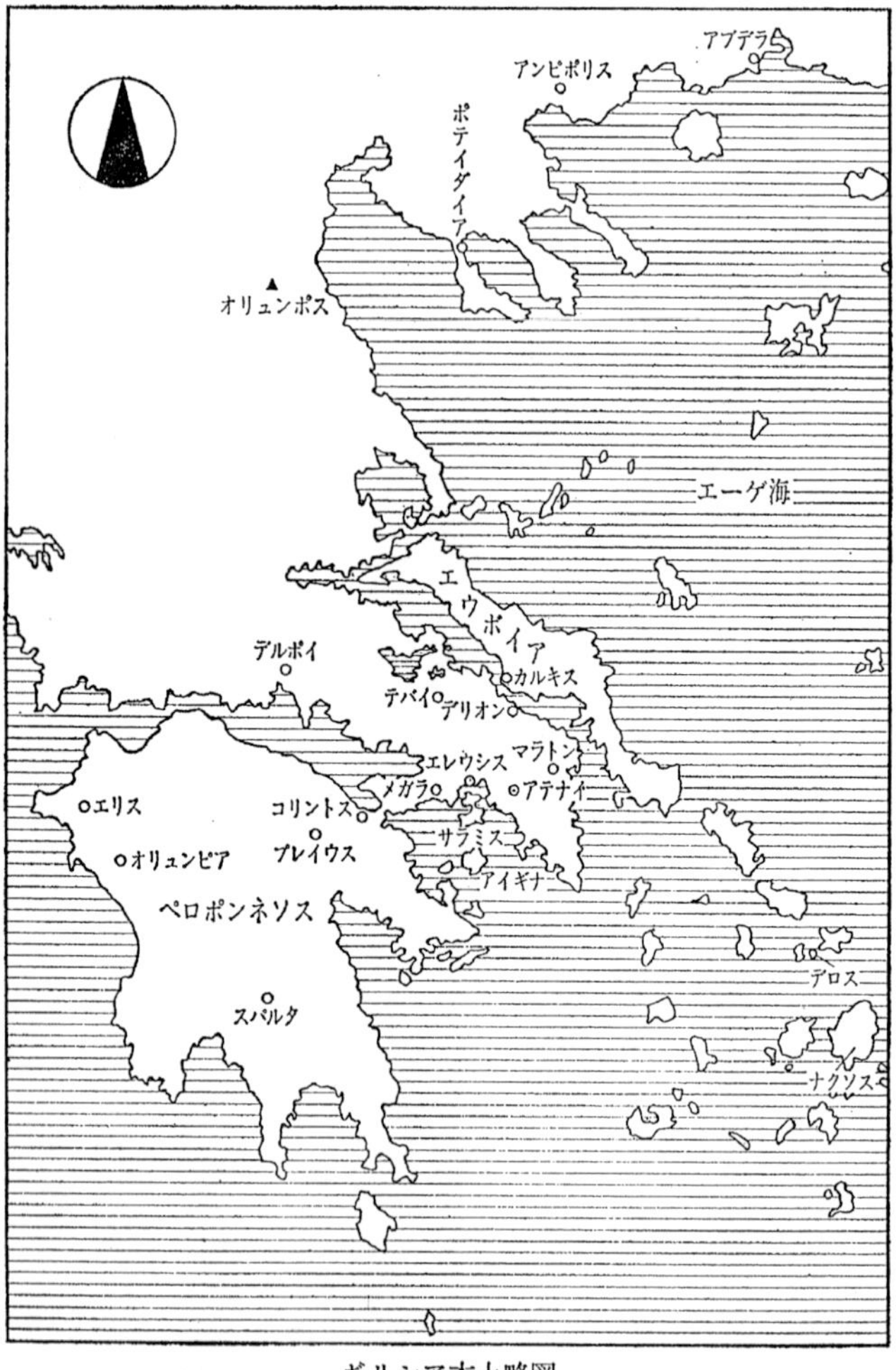
アブデラ
アンピポリス
ポティダイア
オリュンポス
エーゲ海
エウボイア
デルポイ
カルキス
テバイ
デリオン
エレウシス
マラトン
メガラ
アテナイ
エリス
コリントス
プレイウス
サラミス
オリュンピア
アイギナ
ペロポンネソス
デロス
スパルタ
ナクソス

ギリシア本土略図

1　はじめに

本書の題名は『古典入門ソクラテスの弁明』ということになっているが、ここではプラトンの著作から『ソクラテスの弁明』(Apologiā Sōkratūs. 以下簡単に『弁明』と呼ぶ)、『クリトン』(Kritōn)、『パイドン』(Phaidōn) の三篇をとり上げ、これらに解説を加えようとするものである。

▼プラトンの著作

現在われわれが全集の形で手にしているプラトンの著作は、紀元一世紀、トラシュロス (Thrasyllos) によって分類整理された全集が基準となっている。これは著作を四篇ずつ四部作の形で整理したもので、九つの四部作からなり、計三六篇（ただし一三通の書簡は一篇と数える）がプラトンのものとして伝えられている。そのいくつかのものについては真偽決定の長い論争もあったが、現在では、まだ疑問を残しているものが一、二含まれてはいるものの、一応これら三六篇がプラトンの著作として扱われ、通常、これに定義集（後世の作）や明らかに偽作とされているもの数篇を付録として加え、全集の体裁を整えているのである。

ところで、これら著作の作品年代の決定もプラトン研究にとっては大問題で、やはり文献学上の困難で長い研究の歴史を持っているが、作品をグループとして大別することでは、今では概ね一致を見ていると言ってよい。このグループ分けに上記三篇を当てはめると、『弁明』と『クリトン』は第一グループ、すなわち、ソクラテスの死後（前三九九年以降）アカデメイア建設までの約一〇年間に書かれた、いわゆるソクラテス期対話篇と呼ばれるもので、ソクラテスが名実ともに主役を演じている作品グループに含まれ、『パイドン』は、アカデメイア建設後、第二回シケリア旅行までの約二〇年間に書かれ、ドラマティックな要素が目立つと同時に、プラトン自身の哲学が次第に磨き上げられていく姿が認められる第二グループに含まれる。当然、『パイドン』には、内容的に前二作とは違ったものが認められる、と考えてよいであろう。

この違いが、ソクラテスとプラトンを取り扱う上で重要な点となるのである。だが、差異は差異として、一方では、これら三篇に、同一テーマの下で連続している面があるのも認めない訳にはゆかない。『弁明』はソクラテス裁判の法廷を描き、『クリトン』は、判決後、刑の執行を待つ獄内のソクラテスを、そして『パイドン』は、最期の日の情景と刑執行の模様を描いているが、これらの前に、予審のため役所に出頭する途中のソクラテスを主人公とした『エウテュプロン』を加えると、約一ヵ月の間にソクラテスの身に生じた出来事を順に追う形となって、筋として一つのまとまりを見せることになる。

プラトン像（バチカン博物館）

では、これらに共通のテーマとは何であろうか。これらの作品を読むと、幾度となく死の危険に曝されながら自分の信念を曲げなかったソクラテス、死刑の判決を受けてからも、その不正な仕打ちを嘆いたり憤ったりするどころか、死を目前に従容としていたソクラテスが極めて印象的である。このことはわれわれに、ソクラテスにとって死とは何であったのか、と疑問を抱かせるに足るものである。そしてこの問は、常人の物差しでは測りきれないソクラテスへの称讃を、単なる讃美だけに終わらせず、さらにソクラテス哲学の核心へと迫らせるもの、と言えるであろう。

▼ソクラテスにとって死とは

この問題は『パイドン』の中心テーマであるから、詳しいことは後に譲ることとして、ここでは、ごく一般的に、ソクラテスにおける死の問題に触れておくに留めたい。

われわれはすべて、自然によって死の宣告を受けていると言ってよいであろう。この世に生をうけた時すでに死を背負ったのである。われわれは、いわば死の足音を背後に聞きながら生きている。ただ、人によって、その足音を遠くに聞くか、近くに聞くかの違いがあるだけである。このように、死がすべての人間に確定したことであり、誰の肩にも例外なくのしかかっているのだとすれば、これを意識するしないにかかわらず、それはいつの日にか必ずやってくるものであり、特に問題としながら生きても致し方ない、という考え方もありえよう。たしかに、原子論者の考え方のように、「死はわれわれにとっては何ものでもない、それが来た時にはわれわれはもう感じないのだから」と割り切って生きた方が気が楽である。『弁明』のソクラテスが、一つの可能性として死を深い眠りに譬えたのも、これと同類の考え方であろう（四〇c―e）。

それにもかかわらず、死を意識しつつ生きるとはどういうことなのであろうか。『パイドン』では、哲学者（真の知を求める者）は死を待ち望み、死の練習をしながら生きる、と言われている。哲学者にとって死を視野に収めつつ生きることは必然とされているのである。

一般に死が救済の道と信じている人にとっては、死は希望をもって待たれるものであり、死後の悪しき応報を予想する者には、それは恐怖の的となるであろうが、死を意識して生きるとは、そのように、ひたすら胸ふくらむ思いで待ち続けるとか、絶えず死の影に脅えて生きるとか、ただそれだけのことなのであろうか。そうであっては、ソクラテスも、お迎えを待ち望みつつ日を送る老婆となんら変わるところがないことになる。そのようなソクラテスに生の典型を求めるのはナンセンスであろう。

ソクラテスにとっては、生とは別に考えられるような死という事実、あるいは死後の世界といったものは、さほど重要ではなかったのではないかと思われる。むしろその死に方が問題だったのである。死は自然がもたらすものである。いかに哲学を死の練習と定義し、肉体からの、つまりこの生からの解放を説いても、自らの手で生を断つことまでは許されていないのである。とすれば、われわれにできるのは、死ぬことそのことではなく、いかに死ぬか、その死に方を問題とすることでしかない。だが、いかに死ぬかということは、いかに生きたかと切り離しては考えられない。人の死にざまは、その生きざまによって自ずから定まってくるものである。したがって、死の問題は、ソクラテスにとってはそのまま生の問題だったとも言えよう。死の哲学的意味もここに求められるのである。

▼生とはよき生

ではソクラテスが考える生とはどんなものであったか。それが単に生物学で言う生活現象でないことは明らかである。ソクラテスの信条として「生きることではなく、よく生きることを大切にすべきだ」というのがあるが、そこで言うよき生にソクラテスの意味する生を求めることができる。

われわれにとって、自分の性《さが》に反して異質的な生き方をするほど不本意で辛いことはない。ということは、その本性に沿って、それ本来の能力を発揮して生きるのが一番よい、つまり生気に溢れ、充実しているということであろう。ところで、われわれは人間である。とすれば、人間としての本性に沿い、人間固有の能力を発揮できるよう心掛けねばなるまい。これが人間の優秀性（徳）というものである。では、固有の能力とは何か。結局、それは知性ということになろう。これは、他の生きものには見られない人間の独自性である。つまり、人間のよき生とは、ただ自然本能に身を委ねることではなく、醒めた知性の眼をもって生きることだと言える。これが、人間として、また人間らしく生きるということである。

ソクラテスはきわめて誠実に生きた人である。自他いずれに対しても、いささかのごまかしや疑いを許すことがなかった。常に自己および周囲に知性の眼を光らせ、そのまなざしは、うわべの虚飾を貫いて、なにごとも真実の相でとらえようとする。それは全く妥協の余地のない厳しいもので、このことがまた世の反感を招くことにもなったのである。だが、ソクラテスにとっては、そうすることに自分の人間らしくあるかあらぬかが、つまり人間としての存在理由がすべてかかっていた。したがって、たといひとに疎まれようと、迫害を受けようと、それを中止することはできなかったのである。中止は人間性の放棄であり、人間としての死を意味する。同時にそれは、彼にとっては、神から課せられた持場を捨てて逃げることでもあったのである。

このような生き方は安易なものではない。一方で生物学的生を享けている人間にとっては、本能の流れに身を委せ、欲望や感情の赴くままに生きるほうが自然の傾向に従っている、と言えるのである。してみれば、人間らしくあろう、人間本来の姿に戻ろう、とすることは、この傾向にさからって辛い修練の道を歩むことでもある。哲学を死の練習とする定義は、字義通りには死後の生に備えるということであろうが、それは浄めに類する宗教的意味にすぎず、その哲学的意味は、むしろ、上述のように人間的生死のかかっているところに求められるのである。

2　ソクラテスとは

▼歴史的ソクラテス像

ところで、これまでわれわれは、「ソクラテスの考え」とか「ソクラテスにとって」とか、あたかもソクラテスの人となりも思想も確定しているかのように扱ってきた。だが、歴史的ソクラテスの問題はそれほど簡単なものではなく、ソクラテスを語る反面でその歴史性を問題にしているという、一種のアポリアがつきまとうのである。ソクラテスのいない西欧の思想の歴史は考えられないと言われるほど、ソクラテスその人が実在したことは疑う余地がない。しかも、理想的人間として長い間尊敬を集めてきた。にもかかわらず、この人物については、その生活事実の立ち入ったこととなると、謎の部分が多すぎるのである。われわれが知っているソクラテスは、理想化されるにつれて歴史性が洗い流された、いわば洗いざらしのソクラテスではないか、とも疑えるほどである。彼自身なにも書き残さなかったことも、その理由の一つであろう。しかし、彼に関する同時代人および後世の人の証言は決して少なくはない。それどころか、プラトンの対話篇はソクラテスを主人公としたものが殆どであるし、クセノポンにも、『ソクラテスの思い出』、『弁明』、『饗宴』、『家政術』など、ソクラテスをテーマとしたまとまった著書があって、ソクラテスを知るには、量的に不足はないとも考えられるのである。

一般に、師を語る場合、弟子が無能であれば師の真実の姿を理解しきれず、逆に有能であれば、自分の独創性がかえって災いして、師のありのままを伝えることができない、という一種のジレンマがつきまとう。ソクラテスの場合もその例外ではないのかも知れない。イエスの場合は、弟子たちが無教養で素朴であったがゆえに、歴史的報告が成功しているが、その点ソクラテスは不幸であった、と見る人もいるのである。したがって、直接の弟子による多数の証言が遺されているとはいえ、依然として歴史的ソクラテスは問題として残るのである。

だが、そうは言っても、ソクラテスを知ることが絶望的であるというような、悲観的なことを言っている訳ではない。こう言う一方、ソクラテス問題のようなことは、時代の遠近を問わず、学問的にその歴史性を問題とする場合、すべてに当てはまる共通のものだ、とも考えられるのである。要は、一人の証言を頭から信じ込んで、それでソクラテスのすべてを決定するには問題が多すぎる、ということである。そこで他の証言と照合する必要が生じてくる。その場合でも、証言間に不整合が現われてくることは当然予想されるであろう。だがそれは、資料提供者をよく知り、資料選別に用いられた篩《ふるい》の目を確かめることで、かなり解消できるものである。

▼ソクラテス像の資料

ソクラテスについての証言や言及は、古来おびただしい数にのぼるが、ソクラテスの思想や人となりを知る有力な証言となると、その数はごく限られ、多くはこれらから派生したものであることが分かる。その数少ない資料の提供者として有力視されているのは、アリストパネス、プラトン、クセノポンの三人で、それにアリストテレスを加えることもある。

アリストパネスは、前五世紀から四世紀初頭にかけて活躍したギリシア古喜劇の第一人者である。この人の『雲』は戯画化されたソクラテスを主人公とし、これがソクラテス告発の遠因となったのである。もちろん、そこで描かれた、ソフィストであり無用な論を弄ぶ自然哲学者であるソクラテスを、そのまま歴史的ソクラテスに当てはめるのは、いかにも困難である。だが、その誇張されたソクラテスに世のソクラテス観が代表されているということ、そして、保守的な眼にはそのように映る原因が、ソクラテス自身の中に全くなかった訳ではないということ、これは認めざるをえないであろう。その意味では、ソクラテスの一側面を知る手掛りを与えているのである。

次に、プラトンが、ソクラテスとの交際が短かったにもかかわらず、最もよき弟子であったことは広く認められている。しかも、彼の三六篇に及ぶ著作の殆どがソクラテスを主人公としているのであるから、ソクラテス資料としては最も豊富と言えるかも知れない。しかし、歴史的ソクラテスとプラトンのソクラテスをどこで区別するか、といった問題を残していることも事実である。哲学においても文学的にも資質豊かなプラトンが、ソクラテスの忠実な記録に終始することは考えられないし、また、プラトンの個人的な敬愛の感情がソクラテス美化となって現われていることも予想されるからである。だがこのことは、プラトンのソクラテスが歪められたものであることにはならないであろう。現象面での忠実な記録が必ずしも真実を伝えないことは意外と多いものである。心の内にかかわることの場合、特にそれが言えよう。かえって、ポイントを押さえた誇張や脚色のほうが真相に触れるという場合は、少なくないのである。その意味で、プラトンのソクラテスは哲学者ソクラテスの真相を衝いている、と見ることができるのである。

クセノポンのソクラテスは、プラトンのに比べると、現実的で人間臭いと言われる。これはクセノポンその人が、学問愛好家である一方、軍隊を指揮し、財政を論ずる実際的な人物だったからであろう。彼は、ソクラテスの告発事件の頃は、国外にあってギリシア傭兵を指揮していたから、これを直接目撃してはいない。だが、彼の几帳面な記録の才には定評があり、多くの知人に確かめた上で上記の著書を公けにしたと言われる。真実を語るには、現場の生々しさばかりではない、強烈な印象に眩んだ目が正常に戻る時間と距離も、時には必要である。その意味で、クセノポンを人間ソクラテスの証人として証言台に立たせることは、当然の扱いと言える。ただ、プラトンとクセノポンを比べた時、そのソクラテスには不一致の点が少なくない。これまで、この点が不必要に増幅されたこともあったが、これは、証言者の個性がそのまま視点の相違となり、それぞれソクラテスの異なった側面を衝いている、と考えるべきであろう。つまり、ソクラテスには、時には相容れない二つの面が同居し、常人とは一風異なる人格を形成していたのである。

アリストテレスは、上記三人とは異なり、ソクラテスとの交渉は全くない。彼のは、恐らくはアテナイ遊学中、アカデメイアの先輩に聞き、アンティステネス、アイスキュロスらソクラテス派の人びとの著書から得られたソクラテスであろう。だが、それゆえに記述の正確さにおいて劣るとは言えない。プラトンらの著作のようにソクラテスへの敬慕の情が漂うといったものではないし、ソクラテスの哲学への言及に限られてはいる。だが、ソクラテスとは距離が置かれているだけに、かえって、プラトンとソクラテスを区別できる有利な立場にあったとも考えられよう。

その他にもソクラテスについての証言は数多いが、資料としての有力な鉱脈は上に挙げたものである。あとには、適切な篩を用意して選鉱し、ソクラテス像を鋳造するという、長くて困難な作業が待っているのであるが、本書では、哲学者ソクラテスに焦点を合わせているため、勢いプラトンが主要資料となるのは止むをえない。

3　ソクラテスの生涯

▼生年

ソクラテスの歴史的事実の中で最も確実に知りうることは、彼が牢獄で刑死した年である。それは前三九九年の春のことで、このことは碑文に記録として残されており、古くからの言い伝えもこの点では一致している。この時ソクラテスは七〇歳であったと言われているから、刑死の時から単純計算で逆算すると、生年は前四六九年ということになる。この数字は、第七七回オリュンピア期の四年目、タルゲリオン月の六日に誕生したとする、古い伝承と一致している。タルゲリオン月とは、アテナイの暦では一一番目の月に当たるが、これは夏至に一年の初めを置く暦であるから、現在の暦に当てはめると、五月から六月にかけてということになる。

この頃は、ペルシア戦争も終結してほぼ一〇年、デロス同盟の盟主となったアテナイが次第に国力を増大し、やがてペリクレスの黄金時代を迎えようとする時期であり、また、ギリシア思想界に新しい機運をもたらしたソフィストがアテナイを舞台として活躍し始めた頃である。つまり、ソクラテスは、アテナイの政治的栄光と文化の隆盛とが期待される新時代の幕明けに、この世に生を享けたのである。そしてその七〇年の人生は、やがて、長いペロポンネソス戦争に疲弊し、

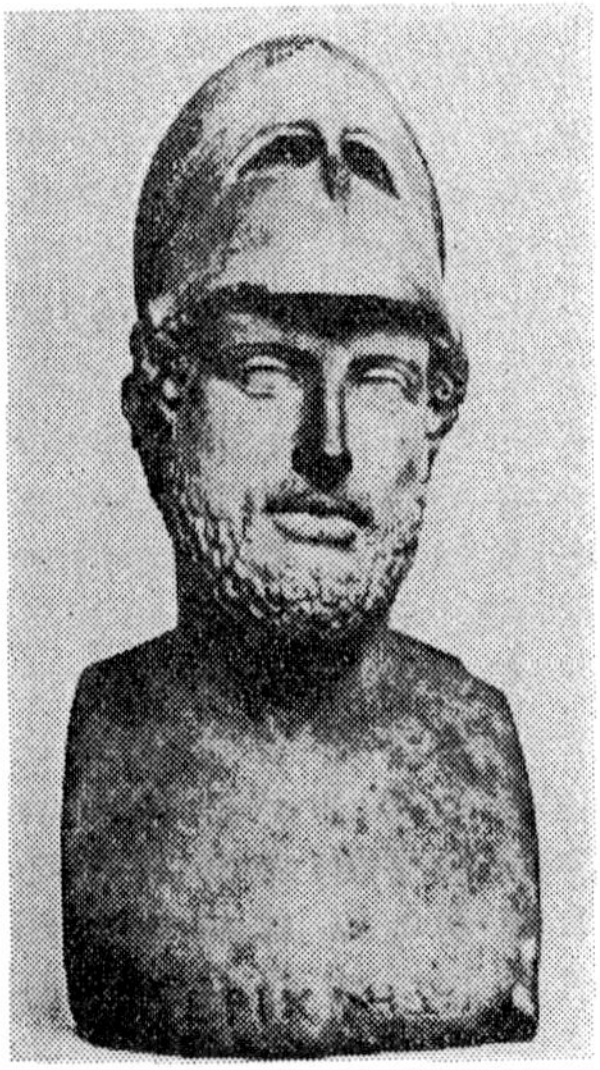

ペリクレス像（大英博物館）

ペリクレスの死と共に凋落の道を辿り始めたアテナイをも経験することになる。彼の一生は、アテナイと歩みを共にしていたと言ってもよいであろう。そこには、神によってアテナイに付着せしめられた虻《アブ》であり、まことアテナイ人であったソクラテスの姿を見ることができるのである。

▼家族

ソクラテスの父がアロペケ区のソプロニスコスであることは、ソクラテスに対する告訴状の中に明記されている。この点は、母親がパイナレテであるということと共に、古くからの言い伝えがことごとく認めているところである。ところで、母親パイナレテは再婚であったらしい。プラトンは、パイナレテとカイレデモスなる人物の間にパトロクレスという男子、つまりソクラテスにとっては異父兄弟、があったことを伝えているのである。しかし、父子いずれについても、それ以上のことは何も伝えられていない。

父親ソプロニスコスの職業については、古くから、石工であったという証言が残されている。また、母親が産婆を職業としたことも、プラトンの記述を含めて、多くの証人がこれを認めている。石工と産婆ということになると、われわれはすぐ、その生活があまり豊かでなかった、と推測しがちである。事実、ソクラテスは貧しい家の出であった、と明言する者もいるのである。すなわち、熟練した技術を売物にする職人階級が、その技術ゆえに尊敬されるという風潮はまだなかった、という訳である。その根拠として、プラトンが『パイドロス』(二四八c―e)で示している生の階層においては、職人や農民が七番目の位置を与えられているにすぎないことなどが挙げられている。

しかし、この言い伝えをどこまで信じてよいかは疑問である。ソプロニスコスが属していたアロペケ区は、アテナイの東郊外にあり、多数の有力者を輩出したところである。民主派の政治家で正義の人として知られていたアリステイデスもここの出身者であるが、ソプロニスコスがこの人と親交のあったことが、プラトンによって伝えられているのである。ソプロニスコスが身分の低い石工であるとしたら、これは少しおかしなことになる。また、貧しいという点も直ちには信じ難い。プラトンは、ソクラテスがデリオンへ出征した時は重装兵であった、と言っているが(『饗宴』二二一a)、重装兵になるには、市民としての十分な権利と並んで財産のあることが必要だったのである。後世のものと思われる言い伝えよりもプラトンを信ずるとするなら、ソプロニスコスが石工で貧しかったという設定は怪しくなってくるであろう。そうなると、ソクラテスが父の仕事を継いで石工となり、ヘルメスとカリスの女神たちの像を作ってアクロポリスの入口に建てたという言い伝えも、にわかには信じ難いものとなってくるし、プラトンとクセノポンのこの点での沈黙は、ソクラテスの名誉にならぬ過去には触れようとしなかったため、という解釈も必要がなくなる。もっとも、そうは言っても、後年のソクラテスが貧しい生活をしていたことまで疑うものではない。その点は、『弁明』のソクラテスに証言を求めることができるのである。

▼教　育

古代ギリシアでは、子供が七歳までは母親、または裕福な家では女奴隷である乳母の許で養育された。その間に、われわれのお伽話や民話と同じように、神々や英雄の物語とか動物寓話を聞かされ、玩具で遊びながら成長していく。プラトンが非難している幽霊や妖怪の話もこの頃に聞かされるのであろう。その後は、養育係（paidagōgos）の監督下におかれて立居振舞いの躾けを受け、学校へも通うようになる。前五世紀初めには、イオニア地方のギリシア植民地には一二〇人収容できる学校があったと伝えられるから、アテナイには前六世紀から学校があった、と推測することは可能である。

ところで、学校での教育は音楽と体育の二本柱からなり、まず、広義の音楽の第一歩として、グランマティステース（grammatistēs）と称される教師により読み書きが教えられた。算数があったかどうかは不明であるが、図画は教科に加えられていたようである。約三年間この教育を受けると、次に詩の教育に入り、ホメロスの詩の暗誦に始まって、ヘシオドスやテオグニス、それに抒情詩人のものなどを教材とした授業がなされた。これと併行して、狭義の音楽としてリュラ琴を弾き、歌うことも教えられた。ソクラテスも、他の子と同じように、これらの教育を一通り受けたことは間違いない。プラトンは『エウテュデモス』の中で、ソクラテスに、年老いた今もなお、子供に混って、音楽教師コンノスにキタラ琴を習っている、と語らせているし（二七二c）、『パイドン』では、死を前にアポロン讃歌を作ったり、イソップの寓話を詩に改めたりするソクラテスに言及しているが（六〇d）、これは、ソクラテスが上のような教養を身につけていたことの証拠である。

学習風景（壺絵）。左から音楽教師，生徒，文字を教えている教師，生徒，養育係の奴隷。

体育のほうは、通常身体が固まってくる一五、六歳から始められたが、これは活発で勇敢な兵士を作る目的で課せられ、この年輩の子の主要教科となっていたから、体育場はあたかも若者の集まる溜り場の観があった。プラトンの対話篇を読むと、場面が体育場近くであったり、対話相手の若者が体育場の帰りであったり、という設定が多いのに気づくであろうが、素質豊かな青年を求め廻っていたソクラテスであってみれば、これは当然の設定であったと言えよう。この体育場で、若い頃のソクラテスも他の若者と一緒に汗を流し、身体を鍛えたのである。ソクラテスは強靱な精神力の持主であったが、また頑健な身体の持主でもあった。彼について、年中素足で、しかも冬に氷の上を跣足で歩いたとか、夏用のぼろマントで過ごしたとか言い伝えられているが、これは自足的精神を養うという修練の意味もあろうが、身体が頑健でなくては全くできないことである。

これらの他、当時の青年の知的憧れの的であったソフィストにも関心を持ち、心酔はしないまでも、一応の話には耳を藉したことであろう。また、エレアの哲学者パルメニデスが弟子のゼノンを伴ってアテナイを訪問した時、アテナイでは初公開のゼノン論文を知りたい一心で、逗留先に出向いたことからも分かるように、若い頃のソクラテスは、自然学にも強い関心を抱き、かつ研究していたと推察される。もっと身近なところでは、クラゾメナイ出身の自然哲学者アナクサゴラスがペリクレスの庇護を受けてアテナイに約三〇年間暮しており、その著書は広く流布していたのであるから、ソクラテスもそれらを手に入れて読み耽ったことであろう。『パイドン』に出てくる、アナクサゴラスに失望したという話は、反面、ソクラテスの関心の深さを物語るものである。

▼結　婚

ソクラテスの結婚については、それがいつのことであったのか、明らかでない。とにかく、ソクラテスの妻子に関してプラトンから聞かされることは、妻クサンティッペが子供を抱いて牢獄のソクラテスと最後の別れをしていること、息子が三人いて、一人は青年であったが、他の二人はまだ幼いこと、くらいである。ソクラテスが刑死したのは七〇歳であるから、この時一番小さな子が母親に抱かれていたとすると、この子はソクラテスが六〇をかなり過ぎてからの子ということになる。この年齢の点から、ソクラテスは再婚したのだとか、さらには重婚であったという言い伝えが古くから現われた。相手の女性は、一人はクサンティッペであるが、いま一人は、ソクラテスの父ソプロニスコスと親交のあったアリステイデスの娘ミュルトと言われている。もっとも、再婚説では、最初の妻がクサンティッペで、長男ランプロクレスを生み、後妻がミュルトで、ソプロニスコス、メネクセノスの二人の息子を生んだ、となっている。もしそうだとすると、『パイドン』でクサンティッペが幼い子を抱いている情景をどう解したらよいのか、問題となろう。もっとも、クサンティッペとミュルトを逆にすれば、この点は一応納得できるようにはなる。しかし、アリステイデスは前四六八年に困窮のうちに死んだと言われる。それはソクラテスが生まれて一年後のことである。となると、その娘は若くてソクラテスと同年、常識的にはむしろ年上となる。ソクラテスとの年齢差から見て、長男はソクラテスが五〇歳に近い頃生まれているから、ミュルトがソクラテスと結婚したのはやはり五〇歳頃となり、一五歳になると結婚が許されていた当時の女性としては、あまりにも異例な晩婚と言わざるをえなくなる。この不自然さが、今度は重婚説を生むことになる。つまり、正妻としてミュルトを考え、その子がランプロクレス、いま一人がクサンティッペで、その間に他の二人の子が生まれたとすると、上のような問題はある程度解消するのである。だが、この話にはどうも辻褄を合わせようとする作為の匂いが強く、あまり信用は置けない。われわれとしては、再婚説その他は一応括弧に入れて、クサンティッペが妻で三人の息子がいた、という最初の線で考えるのがよいのかも知れない。

ところで、このクサンティッペであるが、あたかも世の悪妻物語の代表格のように扱われている。ソクラテスがいつもがみがみと嚙みつかれ、挙句は頭から水を浴びせられたとか、上衣を剝ぎとられたとか、相当に気性の激しい女性として描いている伝説は少なくない。これほどでないにしても、かなり感情の昂りやすい性質であったことは、ソクラテス最後の日の取り乱しようからも察しがつくであろう。これに類したことはクセノポンによっても報告されているのである。しかし、このようなエピソードから、クサンティッペのすべてを臆測し、簡単に悪妻として片付けてしまうのは、話としては面白くなるかも知れないが、公平な扱いではないような気もする。別にクサンティッペ弁護論を展開する気はないが、これといった仕事もなく、神への奉仕と称して一日中出歩き、妻子のことも、赤貧洗うがごとき状態も何とかしようとするどころか、懇願も愚痴も全く糠に釘の夫、このような夫と一緒に暮していて苛立たぬほうがむしろ不思議と言うものであろう。彼女のエピソードを、全く無根の作りごととは言わぬまでも、そこには、善玉を悪玉によってひき立てる伝承の常套手段が見えるように思えるのである。

ソクラテスについては、他に、財産があったのか、ひどい貧乏をしたというが、どうやって妻子を養ったのか、など、取り上げれば疑問となることが多い。だが、そのような実りの少ない詮索はこの辺りで打ち切って、ソクラテスその人に目を向けることにしたい。

4　ソクラテスの人となり

▼容　貌

ソクラテスの容貌については、残されている胸像が概ね一致しているようである（一頁、一一三頁、一九一頁参照）。でっぷりとして頭は禿げ上がり、目は飛び出して天を睨み、鼻は低くて上を向いている、いわゆる獅子鼻というやつである。この顔つきを「シビレエイ」と表現する者もいる。一つには、ソクラテスが問答で、相手を答えに窮した金縛りの状態にするところから、こう言ったのであろうが、広くて平べったい顔つきがエイそっくりにも見えたのである。『饗宴』の中では、ソクラテスの信奉者であったアルキビアデスが、師を讃美する演説で、ソクラテスの容貌をサテュロスのマルシュアスやシレノス（一三五頁参照）に譬えている。サテュロスとは、酒神ディオニュソスの伴をする一群の者たちで、自然の活力を表わす精霊である。彼らは、山羊の角と耳を持ち、脚には蹄があって毛ぶかく、鼻が低くて上を向き、年中酒を手放すことのない、底抜けに陽気で好色な姿に描かれている。強靱な生活力といい、精神の明朗さといい、その顔つきといい、これがソクラテスに最もふさわしい譬えと言えるかも知れない。

▼心の美しさ

ところで、以上のような容貌描写は、多くの場合、ソクラテスの内面の美しさ、精神の偉大さという裏を伴っている。うわべは美少年を追い廻し、誰かれとなく問答をしては困らせるソクラテスも、一度心を開くと、すべてを魅了し、その虜にしてしまう。このことはアルキビアデスに証言して貰うのが一番良いであろう。

「諸君が目にしているのは、ソクラテスは美しい人びとに惚れやすく、いつも美しい人びとの回りをうろつき、うつつを抜かしている、しかもそれだけでない、何ごとにも無知で一つとして知っていることがない——こういうことであろう。彼のこの外見はいかにもシレノス的ではないかね。いやたしかにそうなのだ。つまり、彼はこの姿を外側にぐるっとまといつけているのだ、彫刻のシレノスと同じように。しかし、その内側がひとたび開かれると、どれほどの思慮に満ちていると思うかね。いいかね、誰かが美しいとしても、それは彼にはなんの関心もないのだ。いや、誰一人思いもかけぬほど軽蔑しているくらいだ。誰それが大衆の垂涎の的であるなにかの名誉を持っているとかしても、同じことだ。……それでいて、とぼけたふりをし、戯れつつ人びととつき合いながら生涯を送っている。だが、彼が真面目な姿に立ち返り、その内側が開かれた時……神々しく金色に輝き、筆舌を絶した美しさで、驚嘆すべきもののように思えた。それはまるで、ソクラテスが言いつけることなら何はさておいてもすぐやらなければ、と思ったほどだったのである」(『饗宴』二一六d—二一七a)

この外見と内面の矛盾は、われわれがソクラテスのエイローネイア(アイロニー)と呼んでいるものである。とぼけて自分を低く見せ、相手を持ち上げるというのがそうである。もっとも、こういうことは、低俗な精神の持主がやると、唾棄すべきものであったり、見えすいた偽善であったりするものであるが、ソクラテスの場合は、神意に沿った大真面目なことで、うわべの作りごとではなかったのである。それだけに、相手にはひときわ不気味に思われ、警戒心を抱かせたかも知れない。この点は、無知の自覚に到達するまでのソクラテスの内面の軌跡を追っていけば明らかとなるであろう。

▼ソクラテス的強さ

ソクラテスの人柄については、これまで多くのことが語られており、次第に理想化されて、後世「ソクラテス的強さ」と称する生の典型とされるようになった。そのため、ソクラテスの実生活面が稀薄になったおそれがないではないが、哲人ソクラテスの一面を描いていることもまた事実であろう。そして、この面が継承されて小ソクラテス派と呼ばれる学派が生まれたことも、われわれは知っている。

まず、ソクラテスは人並み優れて強靱な精神力の持主であったと言える。忍耐、克己、勇気、正義など、ソクラテスにつけられる形容はすべて、彼の揺がぬ信念と強い意志に基づいたものである。先のアルキビアデスの演説は、この点についても恰好の実例を提供している。

前四三二年、アテナイはマケドニアの南東にあるコリントスの植民地ポテイダイアを攻撃し、これを包囲した。この時ソクラテスも出征したが、たまたま補給路を断たれて食糧が底をついたことがあった。しかしソクラテスだけは、平然とこれに耐え抜いた。また、戦いが冬にかかり、北の地方だけに厳しい寒さが襲ってきた時、誰も宿舎から出ようとしなかったか、出るにしても幾重にも身を包み込んで身仕度をしたのに、ソクラテスはいつもと全く同じで、トリボーンと称する目の荒い粗末な外套を羽織っただけで、しかもいつもと同じく素足のまま、平気で氷の上を歩いて行った、ということもあった。これらのことは、常々自足的に生きる修練をした成果と見ることができる。外物に依存することが少なければ、それだけ外物から自らの生を独立させ、それに煩わされることがなくなるから、幸福の生活がそれだけ近づくことになる。そこで最小限のもので満足して暮す修練をし、これによって精神の自由をかちとろうとする生き方が、自足的生である。これは、幸福は名誉、財産、地位等の外的善によるのではなく、徳の修練によるという考え方と一体をなし、小ソクラテス派の一つである犬儒《キュニコイ》派の人びとの生活目標となったものであるが、その典型がソクラテスの生き方の中に見いだされるのである。

このような自足的精神は、外的な善には特に価値を置かず、したがってそれに執着したり煩わされたりすることがないから、明朗な心境で心底から楽しむことも知っている。そしてこの快く楽しむという生き方が、やはり小ソクラテス派の一つキュレネ派の信条となるのである。

また勇気の点でも、アルキビアデスはデリオンでの戦を例に引いて、ソクラテスを讃えている。デリオンはボイオティアの一都市で、前四二四年にアテナイはこの地のアポロン神殿を占拠したが、ボイオティア軍の反撃に遇って大敗を喫したことがある。その退却の際、ソクラテスは、後にアテナイの将軍となったラケスと共に、後陣を承って退いたが、その沈着でしかも毅然たる態度は敵兵を完全に威圧し、無事味方を脱出させたのである。これらのことについては、プラトンの『饗宴』を繙《ひもと》いて、直接アルキビアデスの話に耳を傾けることを勧めたい。

▼非合理的な一面

以上は、もう常識的にさえなっている意志の人、信念の人、そしてその基礎を知性に求めた合理主義者ソクラテスの一面である。しかし、それがソクラテスのすべてではない。これとは正反対の一面が同一人格の中に同居しているのである。このことが、ソクラテス像を描くことの難しさを結果している。アルキビアデスも言うように、他の人については、同じタイプの人物を持ち出して「誰々のような人」という説明ができるが、ソクラテスの場合には、現実の人間の中に類比を求めることはできないのである。

ソクラテスに見られる非合理な現象の一つは、あのダイモニオン (daimonion) である。これは神でも、人間の幸・不幸に関わりを持つ守護神ダイモン (daimōn) でもない、全く聞き慣れないものであった。それゆえ、ダイモニオンに従うソクラテスは、新奇な神性を導入する者のようにも考えられ、メレトスのような狂信的人物に告発のきっかけを与えたのである。

ところで、ダイモニオンの実態が何であったのかよく分からないが、ソクラテスが、子供の頃から一種の声として聞こえたと述べているところを見ると、恐らく自分の守護神《ダイモン》が合図を送ってくるのだと解し、これを指針に行動していたのであろう。もちろんこれはソクラテスだけの個人的体験であって、他人の理解の及ばぬものであった。それゆえ、これを「くしゃみ」であるとか、

「木霊」とか「鳥の鳴声」などとする解釈も生まれたのである。つまり、世の迷信家が吉凶を占うのと類比させて考えでもしなければ、人びとには何であるのか理解できなかったのであろう。とにかく、このような異常な心理現象が現われることは、アテナイでは有名だったのである。

また、ダイモニオンと並んでよく知られているものに、夢見とか夢占いとでも言うようなものがある。『クリトン』では、白衣の美女がソクラテスの夢枕に立ち、死期を報せたということが述べられている（四四b）。そして、夢のお告げがまた事実と一致しているのである。死の直前に今までなかった詩作を試みたのも、やはり夢の勧めによるものであった。

こうしてみると、ダイモニオンと言い夢と言い、ソクラテスには神との一種の交信が可能だったのではないか、と予想させるであろう。もっとも、ソクラテスは、自分の行為に口実を設けるために神的なものを持ち出しているのだ、とうがった解釈をすることもできよう。だが、ソクラテスの大真面目な様子を見ると、そこには神を利用するような功利的モメントは一つも見られないのである。この点では、ソクラテスは人並み外れて敬神的である。とすると、ソクラテスは、神との交通の場を、自己の内面の奥深いところに持っていたとでも考えなければ、理解できないであろう。どうも、ソクラテスによく起こった自己没入という現象が、彼のこの面を物語っているように思えるのである。

『饗宴』には、アガトンの宴席に赴く途中、考えごとをしながら隣家の戸口に引きこもってしまって、召使が促しても全く耳に入らない、という描写がある（一七四d以下）。これを聞いた同行者のアリストデモスが、これがいつもの癖で、どこでもひとりで立ち続けるのだ、と言っていることからすると、ソクラテスはいつでも、どこででも、急にエアポケットにでも入ったかのように、自己の中に没入してしまうことがあったようである。anachōrēsis（自己没入）というのは、ヘレニズム以降の宗教思想では重要な概念であるが、ソクラテスにもこれと似たものを見ることができるのである。その顕著な例に、出征中のこと、朝早くから物思いに耽り、その場から動こうとはせず、じっと立ち続けたままで、翌朝になり、太陽に祈りを捧げた後やっと立ち去った、というのがある。その間、兵士たちが興味深げに見守ったり、話し合ったりしていたが、彼の耳には全く入らなかった様子であった。彼は全く外界と遮断されていたのである。通常の思索と考えるには、一昼夜も身動きもせず立ち続けたというのはあまりにも異常であろう。やはり、ソクラテスが持っていた非合理的な一面と考えるのが、一番よいように思える。

▼非合理性と合理性

しかし、このことからソクラテスを神秘主義者のように決めつけてしまうと、ソクラテス像は歪んだものとなるであろう。たとえばあのダイモニオンであるが、その特徴は制止的であって、決して特定の行為についてそれを促すということはなかった。ある一行為をなせというのであれば、全く他に選択する余地はないのであるが、否定の形で示される場合には、それ以外の行為にはすべて可能性が与えられ、自らの選択が大きなウエイトを占めることになろう。それだけ自分の判断の入る余地が大きいということである。判断の余地があると言えば、夢占いもそうである。

白衣の美女はソクラテスに対し、ホメロスの『イリアス』の一節を語っただけである。これを自分のこの世からの旅立ちと判断したのは、ソクラテス自身である。「音楽《ムーシケー》をこととせよ」という夢の勧めは、これまでにも幾度となくあった。それをソクラテスは広義の音楽（学芸一般）と解し、最高の音楽である哲学（愛知）を生涯の仕事としてきたのである。だが判決後は、これを通常の音楽（詩歌）と解釈して、珍しく詩作を試みた訳である。これらを見ると、神的なもののお告げに従うと言っても、かなりソクラテスの解釈が入っており、その時の状況、心の動きなどで違った判断の生まれる可能性があったのである。この点は、例の神託の場合にも見られるであろう。

神託事件の詳細は『弁明』に譲るが、ソクラテスにおける神託——吟味——無知の自覚——使命観といった一連の展開は、やはり彼自身の内面における吟味と判断を抜きにしては考えられないのである。もともと神託というのは、どうとも解せる曖昧なもので、一に専門の解釈者の能力にかかっていた、と言われる。いずれとも解しうる場合、いずれを採るかは、選択する者の解釈や志向にかかることになる。となると、神託に従って行為を選ぶというのは、行為のきっかけ、あるいは自分に納得のゆく根拠を、神託の権威に求めることにすぎない、とも言えよう。あとは、個人の敬神の念の深さによって、それが功利的手段となるか、生死を賭けた決断となるかの違いが出るだけである。

ソクラテスについての神託も、「ソクラテスより賢い者は一人もいない」という否定的表現で与えられた。これをもし「ソクラテスは一番賢い人間だ」と単純に受けとったのであれば、ソクラテスの、あの魂の遍歴にも似た吟味の旅、無知の自覚といった内的体験はなかったかも知れない。これを、「ソクラテスは最高の知者という肯定的表現でなく、無知なるソクラテス以上の知者は人間界にはない、という否定的表現をとることで、人間的な知の限界を訓しているのだ」と解釈したのはソクラテス自身である。そこには、単に個人の宗教的体験だけを重んずる神秘主義者はいない。たとい、神託であろうと、自分で納得できるまで吟味し、その論理を究めようとする合理主義者の姿が見られるのである。つまり、非合理の一面を知性によって支えているのがソクラテスであり、そこにまた、彼の信念の強さの秘密が見いだされるのである。

5　哲学者ソクラテス

▼**無知の自覚**

無知の自覚、すなわち「無知の知」については、『弁明』に、それに達するまでの経過が述べられている。それは、一口に言うと、アポロンの神託を自分自身に与えられた公案と見なし、真剣にその真意を工夫することによって到達されたもので、人間に許された最高の知識とは、結局のところ、自らの無知なることに真実目覚めることに他ならない、という悟りである。つまり、無知の知とは、人間存在がその限界を認識することだ、とも言える。

ところで、この認識は、神のみが真の知を所有するという認識と表裏をなしている。すなわち、無知というのは、知がいかなる形でも存在しない、つまり知識の真空状態、を意味するものではなく、人間の知なるものは真の知でない、ということなのである。だが一方、人間界には、われわれによって知識と認められたものがあり、それはそれなりに立派に通用していることも事実である。これらすべてから知の資格を奪い去ることは、既成知識の、さらにはそれを基礎に築き上げられてきた文化の、破壊と言えよう。このような破壊作用が世の人の反感を買わぬはずはない。そしてまた、ソクラテスがそのような反感をことさら狙っていたはずもない。とすると、ソクラテスがこのような思い切った行動に出た真意はどこにあるのだろうか。

　ソクラテスは常日頃、真剣に知と無知のけじめを考え、自らの知を反省していた。それは、自分の知識が人間界で知識として通用するかどうかの次元においてではなく、まことの知者である神との関係で、まことと知の名に値するかどうかの反省であった。神こそが知者であることは、かの神託を俟つまでもなく、ソクラテスには自明のことだったのである。「神との関係で」とは、人間のとりきめとか約束ごと、あるいは人間の受けとり方には関わりなく、真実の相で知と無知を反省するということである。

　神という真実の尺度に照して良心的に自らを吟味した場合、誰でも己が無知を思い知らされることであろう。知の特徴、または資格を、ソクラテスは「説明を与えうる」という点に求めていた。説明するといっても、単に事柄を記述的に述べるということではない。それは理論的に解明するという意味での説明である。この特徴を頼りに、「何故」とか「何であるか」の問を続けていけば、誰しも、ついには答えに窮し、自らの知識に疑いを持つようになるものである。要は、世の思惑や評判に逃れて、真実から眼を逸らすことがないかどうか、虚飾の知識が一つ一つ剝ぎとられていく自分を直視し続ける勇気があるかどうか、である。この点の違いが、一方にはソクラテスのように無知の自覚を持った人間を生ぜしめ、他方では、人間的な思惑や名声を唯一の頼りに、浮草のごとく生きる人びとを生むのである。

このように心底から己の無知を知っていたソクラテスに対し、「ソクラテスより賢い者は一人もいない」との神託が下ったことは、たしかに驚きだったと思われる。というのは、ソクラテスも初めは、ごく普通に「ソクラテスが最も賢い」と受けとったに違いないからである。そして、これが神の人間に対する、思い上りへの戒めであると悟るまでには、あの吟味の旅があったのである。ただ、彼はこの戒めを、デルポイの神殿に掲げられていた「汝自身を知れ」という言葉のように、神が誰彼にとなく送る挨拶のようなものとは解さなかった。それは、自らの無知を自覚している自分に対し、特に名指しで与えられた言葉であった。それは、ソクラテスにとっては、まぎれもなく神の自分に対する語りかけであり、指令であると思えたのである。自らを「アテナイのアブ」と称し、馬を惰眠から醒ますアブであることに使命感を抱くまでには、彼の内面における、神とのやりとりがあったのである。

ところで、ソクラテスの無知の自覚が、真知を神に求めることと表裏をなすことは、既に述べた通りである。しかし、まことの知者は神であるとする思想は、別にソクラテスに始まるものではなく、既にピュタゴラスの中にもあったし、七賢人と黄金の鼎のエピソードに見いだすこともできる。つまり、それは、ある意味では一般に認められていたことでもある。だがソクラテスは、単なる敬神の心情には留まらず、無知の自覚という否定を経て、これを揺ぎない真理として認識したのであり、そこに彼の哲学の出発点を求めたのである。

哲学、つまり真知を愛し求めることは、無知（すなわち、真の知ならざるものを知と思い込んでいる状態）であっても、真知を所有しているもの（神）であっても不可能である。前者は思い込みの上で、後者は真実に、既に知者だからである。知を愛するという営みは、したがって、自分に真の知が欠如していることをよく見究め、それを率直に認めている者にのみ許される。とすれば、ソクラテスの無知の自覚、あるいは人間の限界認識は、思い込みという汚れを洗い流し、心を白紙に戻す作業であって、それはとりも直さず、哲学に進むための準備に他ならないのである。

▼ソフィスト

ソクラテスが、知識とその対象である真理の世界を、人間の思惑や約束ごとから一度切り離して考えようとしたことは、思想史の上では、重要な意味を持っている。すなわち、ソクラテスが生きたのはソフィストの活躍した時代であるが、真理を人間的なものすべてを超えたところに求めることには、価値否定につながるソフィストの相対主義的価値観に対して、価値の不動なることを示し、これにより市民に行為の指針を与えて、道義の無政府状態に陥るのを防ぐという意味があったのである。

ソフィストのほとんどはアテナイを活躍の場としていた。その理由の一つに、ペルシア戦争後、アテナイがギリシアの実質的盟主としての足場を固め、政治・文化・教育の中心となってきたということもあるが、一方では、ソフィストの教育に期待する声が大きくなってきていたことも否定できないであろう。すなわち、ペルシア戦争を通してアテナイ市民が心に抱いたのは、この勝利は法の下に平等を保証された市民の力によるものだ、という実感である。このことから、市民の意識が向上して、従来の門閥や富に基づく人間評価に対し反省が起こり、人間の価値を個人の実力、つまりその者の優秀性に求めようとする気運が高まってくる。たまたま、この気運にマッチするかのように、ソフィストが登場し、国家有為の人材たるための知識（術）を教えると公称したのである。国事への参与を願う青年たちが、高額の謝礼を支払ってまで、ソフィストのまわりに集まったのは当然のことである。

ところで、ソフィストについては悪名ばかりが鳴り響いて、その功績はあまり認められなかったきらいがある。だが、彼らの思想史に残した足跡は決して少なくはないのである。つまり、従来の学問は、自然哲学の名が示すように、対象を主として客観的自然に求め、人間的なものにはあまり関心を寄せなかった。人間を扱っても、それは自然の一部としてであり、人間に固有の問題、たとえば認識に関わる諸問題、行為に関わる問題などをそれだけで扱うことはなかった。特に、パルメニデスのように、自然を真実在に求め、現象としての自然を迷いとして斥けるようになると、自然は、人間的なものの介在を一切許さない、人間の思惑や受けとり方からは独立した、それ自体として存在するものとなり、すべての主観を排除した厳密に客観的な実在として君臨することになる。このいわば自然主義的思潮に対しては、当然ながら、人間的なものを見直そうとする気運が反動として現われてくる。その一種の啓蒙運動の旗頭であったのが、ソフィストたちである。その結果、人間的なものと自然的なものを対比させて考える風潮が強まり、ことごとに、ノモス (nomos) とピュシス (physis) という対概念の形で区別して言われるようになった。たとえば、原子論者デモクリトスの、色とか匂いはわれわれがノモスの上で (慣習的に) 認めているだけのものであって、真実にはアトムと空虚があるだけだ、という主張は、それの恰好な例であろう。

　自然《ピュシス》とはなに人も動かすことのできない真実の世界である。だがノモスは、自然を区切り、柵をめぐらせて牧場にすることから、自他のけじめが約束ごととして認められるところに生ずる。そのようなけじめは、自然においてあったのではなく、人間が作ったものである。だから、法《ノモス》も掟や慣習も人為的なものと言える。もっとも、人為的であるからといって、直ちにそれを迷いや偽りとして否定することはできない。人為的であるとは必ずしも恣意的であることではない。そこにはそれなりの必然性もあるし、現にわれわれはそれを頼りに生活しているのである。現象が真実そのままを写していないからといって、われわれにしかじかのものとして見えている事実までも否定することができないのと、それは同じことである。ところが、法や慣習は、国により、部族により決して同一ではありえない。ポリスによって価値観まで異なることは、戦争その他でポリス間の交流が盛んになるにつれて、誰もが否応なしに思い知らされたことである。つまり、ノモスの世界は相対的であるということである。そして、ノモスの立場に立つソフィストは、当然のことながら相対主義的な考え方をすることになる。その好例が、ソフィストの長老プロタゴラスの「人間尺度説」であろう。

▼人間尺度説とソクラテスの尺度

プロタゴラスによれば、かりに現象とは別に真実そのものの世界があるとしても、それを目で見、耳で聞くことはできない、われわれとしては、眼前に立ち現われる現象による以外、外界を知る手段を持たないのである。これはまた常識的な考え方でもあろう。ところが、現われというのはどれも、われわれにそのように現われているという点では、全く同等の権利を持っているのであるから、相互間でいずれかを真であると決めることは不可能である。その評価を下すには、共通に認められる客観的な尺度が必要であろうが、そのようなものは、現われの中には求められないからである。あたかも、自分の顔を直接見ることができないため、鏡の像（現われ）を通して知ろうとするのと同じことである。鏡の場合、その像が自分の顔の真実を映している保証はどこにもない。確実なこととしては、この鏡にはそのように現われている、と言えるだけである。そこで、通常は、真偽を確かめるために、別な鏡に映して第二の像を作り、これと比較してみるのであるが、この像が尺度である必然性は一つもないから、資格の同じ像をただ二つ並べただけ、ということに終わる。もっとも、常識的には、二つが似ていれば、概ねそのような顔であろうと推測し、そのように思い込む訳であるが、厳密にはこれも人間における取り決め（約束ごと）にすぎず、真実にとって代わるだけの権利を持ちえないことは言うまでもない。像を数多く映してみても、それは徒らに手続を複雑にするだけのことで、共通の尺度がない以上、確実なことはなに一つ決められないのである。

このような困難に直面した場合、全く懐疑の泥沼に身を沈めてしまうとか、共通の尺度を求めることなど諦めてしまうとかの道が考えられるが、人間尺度説は後の道を選んだのである。すなわち、或る人に何かが、たとえば赤く見え（現われ）ているなら、たとい他人にはどのように見えていようと、その人にとっては、それは赤くあるのだ、と割り切って、真偽決定の尺度となるのは、結局のところ、当の個人でしかありえないと考えるのである。これが「万物の尺度は人間である」という命題の意味である。

この論法でいくと、誰でもこれが正しいと思って行為すれば、そうすることは、その人にとっては正義を行なうことになる。しかし、行為する場合は誰でも、自分ではそうするのがよいと考えて行なうものである。したがって人間尺度説は、何を行なってもすべてが正しい、という極端な結論を内蔵していることになる。ただし、その結論も、「そう思っている自分にとって」という条件が守られている限り、さほど実害はないが、その条件を忘却するか反古にするかして、自分の主観的判断の普遍化を要求するようになると、問題は深刻なものとなる。そして現実に、そのような強者の正義論、つまり、力さえあれば自分の行為すべてが正義として通用する、という考え方が横行していたのである。これを逆に見れば、不正として罰せられるのは、不正であるからではない、むしろ不正だと思われるからであり、不正を正しいと思わせるだけの力を欠くからだ、ということにもなる。つまり、小さな悪は罰を受けても、巨大な力の後楯さえあれば、大きな悪が正当化されるという矛盾を生むのである。この風潮がどのような現実を作るかは多言を要さないであろう。

また、理論的に言っても、一切を正しいと認めることは、その実、正しさを否定していることになる。すべてを正しいとするのは、人間における正しさを守ることにはならない。なぜなら、人間にとって大事なのは、悪しきことや醜いこととのけじめを明確にして、正しいことを正しいと、美しいものは美しいと認めることだからである。かくてソフィストの論は、人間的なものを救うかに見えて、かえって否定してしまうという皮肉な結果を招いたのである。つまり、わが手の両刃の剣で自らも傷ついたと言うべきであろう。

かかる思想界・道徳界の混乱に対しては、個人的恣意によって揺がすことのかなわぬ共通の尺度を立てることが急務とされる。ソクラテスが真理を人為的世界を超えたところに、つまり、うつろい易い現象にではなく真実あるもの（真実在）に求めたことは、この要求に応えることになったのである。

ソクラテスの対話を見ると、常に、「それは何であるか」と、問題となっているものの核心を衝く問を相手にかけている。そして相手は、現実にそれがとっている形態を列挙しては、その都度ソクラテスの反論に出会うのである。つまりソクラテスが問うているのは、たとえば正しさの本当の姿であり、これこそ真実正しいと認められる正しさの真実在なのである。それは、いつどこの国でどのようなことが正しいとされていたか、とは無関係で、時間や空間を超えてその正しさが承認されるようなものである。これを共通の尺度とし、基準として正・不正を区別するなら、あの価値の相対主義からは救われることになるであろう。ソクラテスの「無知の知」に見られる否定的側面は、このような真実在への志向において、初めて積極的な側面を見せることになるのである。

ソクラテスについては、語るべきことはまだまだ多い。口では、弟子をとらない、教えられないと言いながら、書かれた本の代わりに、あれほど多くの生きた本を残したソクラテスは、まことと優れた教育者であったと言える。とすれば、彼が実践した教育論、それに関連して産婆術と呼ばれるものの真相も、語るべきことの一つであろうし、また、問答法に見られるいわゆるソクラテスのエパゴーゲー（帰納法）も、真理探求の方法として見過すことはできないであろう。その他、挙げていけばきりがないほど、語り残されたものは多い。だが、本書の性格上、ここでは標題に関わりがあると思われるものだけに触れるに留め、他の点については、生きている最良の本プラトンを読むように勧めておきたい。

第1章　ソクラテスの弁明

（新海邦治）

デルポイの神殿

1　はじめに

ソクラテスがアテナイの法廷において死刑の判決を受け、毒杯を仰いで死んだということは周知のことと思われるが、『ソクラテスの弁明』は彼の裁判の模様を、弟子プラトンが描いたものである。自分では何ひとつ書き遺すことをせず、その意味では、自己の姿を後世に伝えることに全く熱心でなかったソクラテスの生と死について、われわれはこの『弁明』から、かなり積極的な解説を読み取ることができるだろう。プラトンの著作はその大部分が対話形式をとっているのに対し、『弁明』はごく一部に対話を含むだけである。しかし全篇を通じて、ソクラテスが五百一名の（と思われる）陪審員たちに向かって述べる、一人称形式がとられており、基本的には対話篇の性格が生きていると言ってよい。これがプラトンによっていつ頃書かれたのか、むろん精確なところは不明であるが、ソクラテスの処刑から、それ程大きく隔たらぬ時期に書かれたことは確かであろう。あるいはプラトンの哲学的著作活動の冒頭に置かれるべきものであるかもしれない。いずれにしても、内容の検討や文章の推敲はしばしば繰り返されたに違いなく、これがプラトンの代表的名作に属することは、われわれが精読してみるならば、いよいよ明らかである。

2　告　発

▼必要なだけの叙述

『ソクラテスの弁明』を読む時、ホメロスの長大な英雄叙事詩のことを想うのは、いささか突飛な連想であるのかもしれない。たしかに、書物としての大きさについてだけ言うなら、『弁明』はプラトンの対話篇三五篇（書簡を別にして）の中では短篇の部類に属するだろうし、それに対してホメロスの『イリアス』は一万五、六九三行、『オデュッセイア』にしても一万二、一一〇行の長さをもつのである。それにもかかわらず『弁明』がホメロスを連想させるのは、むろん、作品の内容などによるのではなくて、叙述の仕方、あるいは作品構成の様式のせいではないかと思われる。

ホメロスはトロイアの野に繰りひろげられた、トロイア王国とギリシア連合軍の攻防戦を歌った。しかし『イリアス』において実際に扱われているのは、一〇年に亙ったその戦いの恐らく最後の年のことにすぎない。一〇年間の戦争の冗漫な記録の代わりに、ホメロスは、自ら関心をもつ一つのテーマを詳細に追求することの方を選んだのであり、そのためには戦争の最後の年を語るだけで、充分だったのである。自己の描くべきことにしっかりと目を据え、彫刻的な明瞭さで主題の統一性を際立たせていくこと、それがホメロスの手法であった。一万五千行をこえる長詩もそれによって引き締められ、冗長に流れることはない。こうしたホメロス的手法は、作者の強い自己統制によってのみ可能であるだろう。説明的であることを最小限にまで抑え、面白おかしく飾りたてることを厳しく退けなければならない。叙述における一種の禁欲主義なのである。そしてわれわれの『弁明』がホメロスを連想させるのは、実は、そのような叙述の性格を、『弁明』もまたもっているように思われるからなのである。

『弁明』はその表題が示す通りに、いきなりソクラテスの弁明で始まっている。この裁判がどの季節にどこで行なわれたか、裁判官や傍聴人の様子がどうであったか、どのような手順で裁判が進行したか、など、関係のありそうなこと一切が省略され、それればかりか、肝心な点であるはずの原告の弁論すら省略されて、最後に被告席から立ち上ったソクラテスの弁論によって始まるのである。これは風変りな書き方と言えるだろうし、少なくとも、散文的な事件の記録といった性質のものでないことは明らかであろう。ではなぜこのような書き方がされたのか。ホメロスとの類比が見当外れでないとすれば、ソクラテス自身の弁論の中にこそ、プラトンの目指す主題があったからでなければならない。裁判におけるその他の部分は、省略されうるだけでなく、省略すべき部分だったのである。

プラトンの数多くの対話篇はほとんどが文学的虚構によるものであって、事実の忠実な記録とは言えない。しかし『弁明』の場合は、彼自身が傍聴した裁判をテーマとしているわけであり、彼と共に裁判の場に居合わせた当時のアテナイの人びとをも、その読者として予想しなければならないという事情があった。事実を記録しうる可能性はそれだけ大きく、虚構の許される範囲はそれだけ狭かったのである。ともあれプラトンは、ソクラテスが実際に行なった弁論を再現することのうちに、自己の描かんとする主題を、はっきり定着させていたのである。

▼**必要以上の弁明**

しかしながら、いきなりソクラテスの弁明演説で始められた『弁明』は、これを、被告の自己弁護の論として読むならば、明らかに奇妙な内容をもっている。裁判は、言うまでもなく、原告の告発によって開始され、成立するのであり、被告の役割は、その告発を肯定するにせよ、否定反論するにせよ、要するに、原告の言い分に対して応答することにあるだろう。ところが『弁明』においてソクラテスが原告の言い分に対し、直接応答している箇所は、全体のごく僅かな部分、ほとんど六分の一程度にすぎない。原告の主張を受けて立つという意味での弁明なら、この六分の一の箇所だけでも、充分であるように思われる。したがって残る他の部分は、極端に言えば余計な付け足しの弁論ということになりかねない。これが一方の事実である。

だが、この事実は、われわれが上に見てきたもう一つの事実、プラトンは叙述を必要なことだけに限定してかかった、ということと矛盾しないだろうか。この一見明らかにみえる矛盾は、しかし、プラトンが描こうとした主題について考えることで解消するだろう。もしもプラトンの主題が、原告の告発に対してソクラテスは如何に応答したか、ということにあるのなら、少なくとも、原告による主張の部分が省略されることはなく、より詳細に叙述されたに違いない。プラトンがそうしなかったのは、彼の主題がそこになかったからであろう。とすれば、あの六分の一の箇所は、決して、それだけで充分というような性質のものではなかったことになる。このことを確認しておくことは、われわれにとって恐らく重要なことであろうと思われる。『弁明』によってプラトンの描こうとした主題が何であったかを、改めて考えなければならないことに、われわれは気付かされるからである。

だが、残りの他の部分が余計な付け足しではなく、まさに必要な部分であるということが、ソクラテスの実際に行なった弁論においても当てはまる事実であったとするならば、これはまた驚くべきことであるに違いない。ソクラテスは原告の主張を論破するだけでは事足りず、裁判における必要の度をこえて、さらにそれ以上のことを弁じようとしたことになるからである。そして、死刑を回避すべく行なわれたはずの弁明演説において、何かそれ以上のことをソクラテスが試みていたとすれば、そのソクラテスを描こうとするプラトンの『弁明』も、単なる弁明をその主題とするわけにはいかない。裁判に臨むソクラテスの目的は必ずしも勝訴にはなく、死を免れることにすらなかったように、プラトンは描いているのである。

死の可能性、それも差し迫った可能性を目前にした時、とにかく差し当りその可能性を回避することに努力を傾注するという、普通考えられる態度をソクラテスがとらなかったとしたら、ソクラテスにとって果して死とは何であり、生とは何であったのかと、恐らくわれわれは疑問をもたずには済まないだろう。われわれだけでなく、プラトンもまたそうだったかも知れない。いずれにせよ、必要の度をこえた弁明を展開することの必要をソクラテスが想い、そしてプラトンがそれを理解した時、ソクラテスの弁明は何か特殊な意味合いのものに変わっていったのである。

▼もう一つの告発

裁判所への直接の提訴は、メレトスという名のアテナイの一青年によってなされた。紀元前三九九年のことである。このメレトスがまだほとんど無名の若者であったらしいことは、プラトンの対話篇の一つ『エウテュプロン』の冒頭でソクラテスが「僕は自分でもその男を全くと言っていいくらい知らないんだよ、エウテュプロン。実際、ある若い、人に知られていない男らしいんだがね」（二b）と言っているところから知られる。そして『弁明』（二三e）によれば、彼は詩人であったらしい。ソクラテスの訴人としてこれは余りふさわしからぬ、いささか意外な人物という印象を、われわれは免れ難いのではなかろうか。ソクラテスを危険思想家と判断して告訴するにしても、もう少し然るべき人物があったはずではあるまいか。

そして実はメレトスには仲間がいた。『弁明』冒頭で「私の告訴者たち」と言われ、少し先で「アニュトス一派」（一八b）と名ざされている人びとがそれである。この言い方からすれば、メレトスが表立った告訴者になっていたにしても、しかし彼はアニュトス一派だったのであり、首謀者はアニュトスに外ならない、とソクラテスは見ていたことになるだろう。アニュトスという人物は鞣《なめし》皮業者として富裕であり、かつまた当時のアテナイ民主制の指導者の一人であったと言われ、ソクラテスを告訴する、まさに然るべき人物と言うことができるだろう。そしてさらにプラトンの『メノン』(九〇b—九五a)は、アニュトスの保守的傾向と、彼がソクラテスに対して決して好意をもっていなかったことを、われわれに示している。メレトスによる告訴にこの人の意志が強く働いていたことは、恐らく事実であっただろう。そしてその場合には、民主制という当時の国是を必ずしも讃美しなかったソクラテスの批判的言動を危険とみるアニュトスの政治的意図が、告訴の主たる要因であっただろうことも想像されるのである。これらが、弁明演説に立ち上ったソクラテスの、いわば正面の敵、直接の相手であった。説得的な弁明は必ずしも容易でなく、勝訴の見通しは必ずしも明るくなかった。

ところが、こうした状況をよく承知していたであろうにもかかわらず、ソクラテスは、彼ら以外にも弁明すべき相手の存在することを指摘する。単純に言うなら、これはソクラテスにとって戦線の拡大に外ならない。しかもこの相手の方が一層手ごわいとさえ彼は言うのである。それは何と、昔からソクラテスを私的に中傷し続けてきた不定の多数者であった。彼らはソクラテスに関する少しも本当ではないことを、長期に亙って少年や青年の耳に吹き込んできた人びとであり、メレトスのように公然と法廷に提訴したのではないにしても、ひそかに社会に向かって訴え続けた告発者たちであった。ソクラテスは、この古くからある告発が、今度のメレトスの訴えの背景をなしていると考える。それ故に、敢えてそれを取り上げ、その中傷の事実無根であることを明らかにすることは、メレトスの告訴に対して弁明する場合には、必要にして有効な回り道でもあったのである。しかしこの弁明は、相手が不定の多数者であってみれば、「あたかも影と戦う」

（一八d）ような手応えのなさが予想された。けれどもソクラテスは敢えてその影に実体を与え、彼らの中傷に対する弁明から始めようとするのである。

▼アリストパネス

ギリシア古喜劇の一場面を描いた壺絵

ところで、その古くからの告訴者たちは、ソクラテスについてどのようなことを告発していたのだろうか。少しも本当ではない、とソクラテスが決めつけるそれは、「ソクラテスは、地下のことや天上のことを探求し、弱めの議論を強めのものにし、かつまた他の人びとにその同じことを教えて余計なことをしており、不正の者である」（一九b—c）というような内容のことであった。少なくともそれがソクラテスの推測である。そしてこの推測の根拠となったのが、喜劇作家アリストパネスの作品『雲』だったのである。はっきりとその正体をみせぬ昔からの告訴者たちのうちにあって、彼だけが例外的に姿をみせていたことになる。

前四二三年に初演されたこの喜劇では、借金に悩む一人の無教養な田舎男が、返済をごまかすために、弱めの論をして強めの論に打ち勝たせるというソクラテスの論法を息子に学ばせようとするのである。そして、言うことをきかぬ息子の代わりにやって来た田舎男が目にしたのは、釣かごに乗って天上のことを思索しているソクラテスであった。喜劇的であるからにはもちろんかなり大げさな戯画化がされていたにはしても、世間の常識に外れた、何か胡散臭い妙な知恵を振りまわす人物というような、ソクラテスについての印象がかなり一般的にあって、それがこの喜劇におけるソクラテスの原型をなしていたのではないかと想像されるのである。それはまた一般に、ソフィストたちや悲劇詩人エウリピデスの名と結びついた新教育・新思想に対する、世間の人びとの疑念や反感を反映するものであったと言うこともできるだろう。そしてソクラテスは、そういう世間の疑惑が自分の身にも向けられていたことを、充分承知していたことになる。前四二三年の初演と言えば、ソクラテス裁判の二十余年前のことになり、確かに彼に対する中傷ないし偏見は古くからのものであったと言わねばならない。そしてそれに対する弁明の場を、ソクラテスは今初めて得たわけである。

しかしながら、アリストパネスが『雲』においてソクラテスをどこまで真剣に批判し非難していたかということは、必ずしも明らかではない。『雲』を読んでわれわれの受ける印象は、ソクラテスに対する悪意ある中傷、非難ということより、むしろ、辛辣ではあるにしても単なる風刺、揶揄ということであろう。ペリクレス亡き後のアテナイの指導者クレオンに対する彼の批判などに比べる時、われわれはその印象を深めざるをえない。アリストパネスのクレオン批判は、アンピポリスにおいてクレオンが戦死するまで、身の危険を冒してまで再三に亙って執拗に繰り返されたのであり、彼が真剣に批判を加えようとする時には、それほどの迫力を示しえたのだからである。プラトンが『饗宴』において、アリストパネスをソクラテスと同席させえたことも、少なくとも、両者の決定的な対立関係を前提しては考えられないことであっただろう。

だが喜劇というものが、もともと事実をありのままに描くのではなく、大げさに戯画化して描くのが普通であるとしたら、舞台に上げられたソクラテスは本当の自分と同じではないと主張することは、むしろ容易なことだったと言えよう。そして容易であるだけ、この主張は、かの「古くからの告発」に対する弁明としては、力弱いものでしかありえなかった。ソクラテスを何か胡散臭い知恵者とみる人びとの疑惑を晴らすのに、効果的だったとは思われないのである。

▼ソフィストの如き知者ではない

「古くからの告発」はまた、ソクラテスがいかがわしい知恵を他の人びとに教えている、ということにも向けられていた。アリストパネスの『雲』では、ソクラテスの家は内弟子を抱えたそういう学校として描かれ、思索所《プロンチステーリオン》と呼ばれていたのである。それが現実のソクラテスには全く関わりのない虚構であることも、観客は大方知っていたに違いない。しかし、思索所そのものは喜劇仕立ての虚構だったにせよ、何かそれに近い一つの集まりがソクラテスを中心にして作られ、アテナイの古い伝統としばしば対立するような性質の新教育・新思想の一拠点となっている、といった印象が、ぬぐい難くあったのではないかとも想像される。「思索所」は恐らくそうした印象の誇張された表現だったのである。

だが実は、この種の印象の主要な源となったのは、むしろソフィストたちの活動であっただろう。ソフィストすなわちソピステースとは、文字通り知恵者であり、人を知恵者にする者であった。彼らは「人間としての、また国民としての徳をよく知っている者」(二〇b)を自認し、「どの国へでも出かけては、若者たち――彼らは、自国の市民のうちに交際したい相手があれば、無料で交際することもできるわけなのに――その若者たちを説得して、同市民との交際をやめさせ、金を払って自分たちと交際するようにさせた上、感謝の念さえ抱かせることができる」(一九e―二〇a)ような者たちだったのである。ソフィストの活動についての、これと同じような描写を、われわれは更に対話篇『プロタゴラス』の冒頭の部分や『ヒピアス(大)』の同じく冒頭などに、より具体的に見ることができるだろう。個々のソフィストにはそれぞれの特徴があったにしても、彼らに共通の活動の性格は、およそここに言われたようなものだったと考えてよい。

だがそうであるなら、少なくとも活動の外面的な特徴に関する限り、ソクラテスが彼らの仲間でないことは、かなり明らかなことだったであろう。実際、ソクラテスはアテナイから外へ出かけようとはしなかったし、青年たちから金銭を受け取ることもなかった。そして何より重要なことは、青年たちに教えるべき知恵・知識をそもそも自分はもっていないというのが、ソクラテスの常々表明していたことだったという事実である。そのことによって彼は実質的にもソフィストたちから自己を区別することができた。彼の基本的立場は、むしろソフィスト批判を避け難く含むものであったと言ってよい。しかし、事態がもしそうであるなら、われわれの疑問はかえって大きくなる筈である。ソフィストたちに対するのと同種の疑惑が、ソクラテスにも向けられたのは何故だったのかと。かくして、「古くからの告発」に対するソクラテスの弁明は、アリストパネス喜劇への反論の域をこえて、彼の活動のより根源的なところへ触れてゆかざるをえないのである。

3 神託

▼ソクラテス以上の知者はない

『弁明』の最も興味深い点の一つは、それがソクラテスの活動の秘密を積極的に説明していることであろう。多くの市民の目に余計なこととも映った彼の活動——知についての吟味活動——の執拗さ、その活力が何に由来するのか、そもそもそれは何を目ざす活動であったのか、といったことをわれわれはこの『弁明』において知るのである。その意味で『弁明』は、プラトンのいわゆるソクラテス的対話篇に対する序説の役割を果たすものと言うこともできるだろう。

「古くからの告発」が問題にしていたのは、いずれにしても、ソクラテス的な知ということであり、その知の胡散臭さということだった。ソクラテスの弁明は何よりもまず、彼と「知」との関わり合いについてなされなければならないだろう。その関わり合いの特殊さが彼を風変りな知者にしていたのであるから。そこで彼は、彼の特殊な「知的」活動のきっかけをなした一つの事件――デルポイの神託事件――を紹介する。それは、アテナイ民主派の一員であり、手がけたことに熱狂的になり易いたちの男としてもよく知られていたらしいカイレポンという、ソクラテスの交際仲間によって惹き起こされたものだった。彼はある時デルポイへ出かけ、神託を求めた。

「即ち、この私（ソクラテス）より知恵のある者がいるかどうかを彼は尋ねたのです。すると
そこの巫女は、私より知恵ある者は一人もいないと答えたのです」（二一a）

そしてこのことについては、亡きカイレポンに代わって彼の兄弟が証言を与えることになっている。そのようなプラトンの書き方からしても、この事件は実際にあったことと考えてよいであろう。そして、事件そのもののみならず、予言の神アポロンに対するカイレポンの尋ね方、問のたて方も、ソクラテスの言葉通りだったと考えるならば、これは少々ユニークな問い方と言えそうである。かつてリュディアの王クロイソスが遠来の客であるソロンに尋ねたのは、「一番幸福な人は誰か」であったし（ヘロドトス『歴史』I・三〇）、白雪姫の継母が鏡に向かって訊いたのも「一番美しい人は誰か」であった。しかしカイレポンは「一番賢い人は誰か」と婉曲に尋ねる替わりに、「ソクラテスより賢い人がいるか」と極めて直截的な尋ね方をしたのである。このことは、少なくともカイレポンにとって、ソクラテスこそ疑いもなく最高の賢者であったことを示しているだろう。彼はただそのことを、神によってはっきり確認してもらいたかっただけであろう。熱狂的な人と言われたカイレポンとしては、いかにもありそうなことである。

だが、もしそうだとすれば、ソクラテスと知との関わり合いが、この事件をもって始まったと、単純に言うことはできないことになろう。カイレポンの思いが、かなり一方的で主観的だったとしても、彼にそう思い込ませるだけの知との関わりを、既にソクラテスは持っていたに違いないからである。プラトン自身も『パルメニデス』において、まだ二〇代の青年ソクラテスを、大哲学者パルメニデスとその弟子ゼノンの相手になって対話する、熱心な学徒として描くのである。したがって神託事件は知との関わりの始まりではなく、新しい出発のきっかけを作ったと言うべきであろう。そして神託事件がそういうきっかけとなりえたのも、知というものに対する深い関心が、既にあらかじめ彼のうちにあったからだと言わなければならないだろう。それでは、それはどのようなきっかけだったのだろうか。

▼神託と知

アポロンの神託とソクラテスの知という取合せは、何かそぐわない感じをわれわれに与える。前者が神秘性の極めて強いものであるのに対し、知はむしろ、その神秘性を破る方向において働くべきものであろう。そしてわれわれのもつそういう普通の感じからすれば、カイレポンの報告に接した時のソクラテスの反応は、極めて印象深いものだったのである。「ソクラテスより賢い者はいない」という神の言葉を、彼はそのまま素直には受け取りかねた。ソクラテスでなくても、たといかなり自信の強い人間でも、それは同じだったかもしれない。ましてソクラテスは、自分が知恵ある者でないことをよく弁えている人間だったのである。それにもかかわらず彼は、それが神託である故に無視することができなかった。とすれば、一見明瞭な神の言葉は、読み取り難い謎を秘めたものとならざるをえない。ソクラテスは、この謎を解き、神の真意を見いだそうと決心するのである。

神託が謎めいた表現をとることなら、恐らくしばしばあっただろう。われわれはその代表的な例として、ペルシア戦争の際にアテナイ人たちが受けた神託――木の砦に拠るべし――を知っている（ヘロドトス『歴史』VII・一四一。およびプルタルコス『伝記』テミストクレスの章の一〇参照）。この場合には、木の砦が何を意味するかが初めから不明であり、人びとの解釈を要求していたのである。他方、一見明瞭に見えて、その実、神の真意を知り難い神託もあった。リュディア王クロイソスが、キュロス大王のペルシアを攻めようとした時受けた神託は、そういう種類に属するだろう。彼はペルシアに出兵すれば、強力な帝国を滅ぼすだろうと告げられ、勇躍して出陣したが、滅ぼしたのは、自分の帝国だったからである（ヘロドトス『歴史』I・五三以下）。あるいはまた、オイディプスに下されたような、象徴的意味を含まない、明瞭率直な神託もあったわけである（ソポクレス『オイディプス王』七九〇行以下）。

しかしソクラテスの場合は、これらのいずれとも異なっていた。彼の受けた神託の意味は明瞭だったが、彼自身は神託と全く逆の見解をもっていたため、二つのテーゼが対立する結果になったからである。この対立を鋭く意識し自覚することによって、神託は初めて謎となるのである。ソクラテスの独自性、独得さは、この対立を彼が曖昧にしてしまわなかったことにあるだろう。

神託に対して自己を譲ることも、自己を主張して神託を否定することも彼は選ばなかった。その結果彼が到達したのは、二つのテーゼの対立を、言わば止揚することだったのである。そのことによって、知と神託という、いささかそぐわない二つのものが結びつき、やがてソクラテスに新しい出発を促すことになるのである。

神託というようなものを、現代のわれわれはおよそ信ずるはずもあるまいし、現代としては恐らくそれが自然な態度というものであろう。信心深いギリシア人ソクラテスには、しかし、神託を信じない自由はなかったのかもしれない。だがそれをどのように彼が受けとめるかは自由であった。そして彼が独得の、重い受けとめ方をしたのは、彼の信仰のせいというよりもむしろ、彼の知に関する強い問題意識のためであっただろう。だがそれにしても、きっかけを作ったのは信仰だったのである。われわれの心は無意味なものも有意味にかえる力をもつが、無意味なものを初めから切り捨ててしまう時には、心のそういう作用も起こりようがないのである。

▼「無知の知」の発見へ

しかしながら、神託を前にして、どうにも納得がいかず困惑しているソクラテスの姿は、決して機智に富んだ才人のそれではない。むしろ滑稽なほど素朴な人の姿であろう。そしてこういう素朴さは、彼が神託の謎解きに臨む態度にも表われているように見える。思い惑ったあげくに彼の始めたことは、事実を確認してみようということだったのである。謎解きの手口としては、いかにも泥くさいやり方と言えるだろう。

最初にソクラテスは、一人の政治家——あるいはこれは、メレトスの後楯になっていたアニュトスであったかもしれないが——を訪ねる。彼は世間で知者だと思われ、とりわけ自分でもそう思っている人であったが、問答をかわしているうちにソクラテスには、彼が見かけと違って知者ではないと思われてくるのである。そこでソクラテスは、「あなたは本当は知者ではない」ということを相手に教えてやるという、一つ余計なことをやった上で引き上げてくる。

だがこの問答の結果は、ソクラテスにとって極めて暗示的であった。常々彼が自らを無知であると思い、またそう言っていたのは、全く何も知らないということではもちろんなくて、人間が知るに値するようなこと、そういう肝心な何かを自分は知らないという意味だったろう。したがって知者という評判の政治家に彼が期待したのも、そのような「人間にとって肝心な事柄」に関する知であったのである。だがその期待は外れた。ソクラテスの場合と同じ意味において、相手もまた無知だったのである。ところが相手の方は、この意味における無知を自覚していなかった。他方ソクラテスには、少なくともその自覚だけは痛いほどにあったのである。この違い、この両者の差は、もとよりごく僅かな差にすぎない。それにもかかわらず、それは明らかに、無視することのできない差であった。そして両者を比較するなら、その僅かな差によって、ソクラテスの方が知のすぐれた者であると言わざるをえなかったのである。

ソクラテスのこのような経験はさらに繰り返されることになった。彼はもっと別の一層すぐれた政治家たちをも訪れ、次には多くの詩人たちと問答し、そしてしまいには手工業者たちのもとにも出かけてみた。しかし結果はいつも同じだったのである。こうして彼は、実地に調べてみることによって、世の多くの知者たちに欠けていた一つの知、すなわち自分の無知を自分で知っているという知に辿りついた。

だが、実地に調べるという、言わば泥くさいこのやり方は、もともとそこからこのような結果が期待されるような性質のものではなかっただろう。それはむしろ、ソクラテスを最高の知者なりとする神託か、それを否定するソクラテス自身の見解か、どちらか一方が救われ、他方は否定されるという結果をもたらすはずのものだったと言える。事実、彼の最初の意図は、自分には納得がいかないから、神託を反駁してやろう、ということだったのである。しかしこれだけでは神託の謎——神の真意——を解き明かすことにはならない。泥くさいやり方と呼んだ所以である。ところが実際にソクラテスが到達したのは、そういう単純な二者択一的結論ではなかった。むしろ、神託の正しさが証明されると同時に、彼自身の主張も生かされるような、特殊な結論だったのである。これはもちろん、偶然の結果ではない。知についてのソクラテスの長い思索が、必然的に生み出したものと言うべきだろう。謎解きの手段はその手がかりを与えたにすぎないのである。

▼知者とは何か

「自分の無知を知っている点でソクラテスは一番の知者である」という結論は、神はなぜソクラテスを最高の知者と言ったのか、という疑問に答えるものであった。だが神託の意味はそれで理解されたにしても、ソクラテスにはなお疑問が残る。それは、その神託によって神は何を言おうとされたのかということ、すなわちその言葉の奥にある神の意図である。本当の神託解釈は、実はここから始まるのであろう。もとより神託そのものはどのような解釈も要求してはいない。それはただソクラテスの前に、寡黙に、存在するだけである。どのように解釈するかということ、いや、そもそも解釈を加えるか加えないかということさえ、もっぱら受け手の側の問題になる。しかしソクラテスは敢えて一歩を進め、神の真意を読み取ろうとした。そしてこの、ソクラテス個人に対する称讃のように聞こえる神託を、人間の知というものについての、神の訓しとして受け取るのである。

神託はあの僅かな差をもって、ソクラテスを最高の知者と見做していた。そのことは取りもなお

右上がデルポイの神殿，手前は円形劇場跡。

さず、人間にとっての最大の知が、結局のところその程度のものにすぎない、ということを示唆してはいないだろうか。そうだとすれば、誇るに足る程の知をもった人間など果たしてありうるか、ということにならざるをえない。真の意味で知者の名に値するのは、むしろ神だけであろう。デルポイの神はカイレポンの問いかけに対して、恐らく逆説的な答え方をしたのである。ソクラテスの言い方によれば、神は彼の名をただ例として、つけたし的に用いているだけなのであり、ソクラテスを最高の知者と呼ぶことで、神は知に関する人間の思い上り《ヒュブリス》を戒めていたのである。ヒュブリスは神に対する罪である。その罰は、永遠の蒙昧ということであろう。われわれは自分の知らないことについては、これを知ろうとするだろうが、既に知っていることについて知ろうと努めることはない。だが実際には知っていなくても、知っていると思い込んでいることがあれば、これについてもわれわれはやはり努力しないに違いない。知を求めるわれわれの活動は、無知の自覚に始まると言ってよいだろう。その意味で、ソクラテスの吟味の対象となった人びとに例外なく認められたような、自分の知らないことまで知っていると思っている状態は、避けられなければならない。知に関する正しい自己認識が必要なのである。

　ソクラテスは、神が彼の名を――たとえ付け足し的であったにせよ――用いたことを、単なる偶然とは考えなかった。人間の知についての神の戒めをアテナイの人びとの間で彼が実践していくことを、神は彼に命じていると理解するのである。それ故、相手にその無知を知らせようとするという、「余計なお節介」は、神によって命じられた彼の仕事の一部になったのである。

▼知恵の吟味の影響

だがこのお節介は、アテナイの人びとの多くにとっては、やはり余計なお節介にすぎなかった。既に、ソクラテスが最初に訪ねた政治家の場合にも、当の本人はもとより、その場に居合せた他の人びとからも彼は嫌われたのである。彼が吟味の対象に選んだのは、知の優れた人として聞こえている人びとだった。賢者としての自負心もこの人びとには当然強かっただろう。反動もまたそれだけ大きかったのである。吟味の繰返しは彼に対する反感の増大につながった。しかもその上、彼のまねをする金持の若者たちが現われるに及んで、その反感はさらに増幅されることになる。

だが事柄の性質上、吟味を受けた人びとのソクラテスに対する非難攻撃は、直接的な形をとりにくかった。無知を暴露したのが怪しからぬとは言い難いからである。結局彼らの攻撃は間接的で遠回しな表現をとらざるをえない。アリストパネス喜劇で言われた「天上や地下のことを探求する」「神々を認めない」「弱めの論を強めにする」などはそれであるとソクラテスは言う。要するにこれは、空理空論を弄び屁理屈をこねるということであって、哲学者（ないし学者）を嘲る場合の常套句だったらしいのである。そしてそのような理屈をふり回して人びとを反駁し問いつめるソクラテスは、自然のなりゆきとして、人びとの目に知者であるように映ることになった。自分自身をも含めて、人間が如何に無知であるかを明らかにしようとしたことが原因であるとすれば、これはいかにも皮肉な結果だったと言わねばならない。知者ソクラテスをソフィストから区別する理由もまた、当然見いだされなかったであろう。

このような事情と経過によって、ソクラテスについてのあの「古くからの告発」は徐々に形成され、もはや手のつけられない程に大きくなってしまったというのが、ソクラテスの説明である。そして、彼の活動の拠り所はデルポイの神だったのであり、自分はただ神の命ずるままに、神の指図に従って活動して来たにすぎないというのが彼の言い分であったから、この説明は、彼の立場の正当性を主張する充分な弁明であったことも確かである。そしてそういう彼の主張には、偽りや誇張は恐らく少しもなかったに違いない。

けれども考えてみれば、ソクラテスや若者たちによって無知を暴露されるはめになった人びとの多くは、著名ではあっても、ごく常識的な普通の人びとだったのである。その彼らがソクラテスに対して反感を抱いたのは人情として自然であり、それ程責められるべきこととは言えないだろう。ソクラテスもまた自己の利害とは無関係に、むしろ損を承知で極めて素朴に神への奉仕をしていたわけであり、たとえ彼のやり方に洗練を欠くところがあったとしても、それは罪には当たらぬだろう。両者の対立には、どうしようもないものがあるように思われるのである。そして、むしろそれよりも、ソクラテスの執拗な吟味を好意的に受け入れ、自己の無知が暴露されることにも耐えて、かえって積極的にソクラテスを援護しようとした人びとが少なからずあったことに、われわれは驚きを禁じえない。それはやはり、アテナイを中心としたギリシア文化、ギリシア的教養の質の高さを表わすものではなかっただろうか。

4　反論

▼メレトスの告訴状

「古くからの告発」についての弁明を終えたソクラテスは、いま初めて、彼が本来弁明しなければならなかった相手、直接の原告へ目を向ける。メレトスによる言わば新しい告発は、ソクラテスの考えでは、「古くからの告発」がもとになって出て来たものだったのであり、詩人のメレトス、政治家で手工業者のアニュトス、およびアニュトスと共にメレトスの応援演説に立ったらしい弁論家リュコンは、あたかも反ソクラテス派の各界代表――アニュトス以外はやや役不足だったようだが――といったところだったのである。したがって、彼らの告訴はここに改めて取り上げられなければならなかったにせよ、二つの告発に対するソクラテスの二つの弁明が、第一部と第二部、あるいは第一段階と第二段階という形で結びついていることは言うまでもない。そして第一段階が既にみてきたように、より多く説明的な弁明であったのに対し、第二段階は、具体的な形をとって現われた直接的な告訴に対するものであっただけに、論証的な性格を強めることになり、その結果、そこに、われわれはソクラテス的問答法の実際を垣間見ることになるのである。

それではメレトスの告訴状の内容はどのようなものだったのだろうか。ソクラテスが復唱して

いるところによれば、それは、

「ソクラテスは青年たちを堕落させ、かつ国家が信仰する神々を信仰せずに、別の新しいダイモニアを信仰することにより、不正を為している」（二四b—c）

というものだった。すなわち青年たちに対する教育的な罪と、宗教に対する罪との二項目があったわけである。ソクラテスはこれを一つずつ取り上げて反論していくことになるが、しかし彼の反論は実際には、第一項の青年に関する罪の方を中心に据えて行なわれているように思われる。それは彼が第二項の宗教的不心得ということを、青年たちへの悪影響の理由を述べるものとして、この告訴状を理解しているからであって、その場合にはこれら二項は、内容的に切り離し難い関連をもったものということになるだろう。

　ところでここに掲げられた告訴の内容は、恐らくプラトンの記録か記憶かに基づくものであるだろうが、クセノポンの『ソクラテスの思い出』などでは、宗教的な罪の方を第一項に挙げ、青年に関する方は第二項にしていて、二つの項はむしろ独立したものとして論じられているように思われる。クセノポンのこのような扱い方は、また紀元後三世紀の伝記作家ディオゲネス・ラエルティオスの記しているソクラテスについての記事の中でみられるものとも同じである（ディオゲネス・ラエルティオス『著名な哲学者たちの生涯と教説』II・四〇）。そして彼によれば、この告訴状（正確には、告訴内容に偽りがないことを誓う宣誓書《アントーモシヤ》）は、ハドリアヌス帝の二世紀前半頃にもなお、アテナイの公文書保管所だったメトロオンに納められていたらしいのだが、彼も直接それを見ていたのかどうかはわからない。したがって厳密にはどちらが正確な順序か不明であるが、いずれにしてもプラトンは、そして恐らくソクラテスも、青年に関する問題の方をまず第一に取り上げたのであり、しかもこのことが単なる偶然でなかったらしいことは、『エウテュプロン』(二c—三b)でも全く同じ取扱いがされていることによって明らかであろう。宗教的な罪はそこでもやはり、青年の問題の第一項に対する理由・原因として位置づけられるのである。

しかし哲学者の罪を問うという場合には、むしろ宗教上の問題こそがもち出されやすかったのであって、ソクラテスの前にはアナクサゴラスの例があり、後にはアリストテレスの例があるのである。ソクラテスが重視したのは青年に関する罪の方であったとしても、告発者たちが強調していたのは、かえって宗教的な問題の方だったかもしれないのである。

▼青年を善くする者

告訴状に対するソクラテスの反論は、原告メレトスを相手とする問答の形で進められる。被告が原告を言わば訊問するような、こういう公判の形式は、われわれにはいささか奇異に感じられるが、アテナイの法廷では恐らく珍しいことではなかったのかもしれない。答をしぶるメレトスに対してソクラテスが、「ねえ、君、答えてくれないか。なにしろ、法律だって答えるように命じているのだから」(二五d)と言うところをみると、むしろこれは法的に正式なやり方だったのかもしれない。

メレトスを追及するソクラテスの態度は、皮肉を交えつつ、かなり厳しいものがある。この厳しさは青年の教育という問題に対するソクラテスの姿勢を反映しているようにもみえるのである。徳とは何かという問いかけを通してソクラテスが常に関わっていたのは、結局は、人間のよく生きるという問題だったのであり、彼は言わばこの事柄に関する専門家だった。「彼は人生について論じた（問答した）最初の人だった」（『生涯と教説』Ⅱ・二〇）というディオゲネス・ラエルティオスの言葉には異論がありうるにしても、少なくとも、彼は人間の生の問題を論理的な仕方で徹底的に考えぬこうとした哲学者たちの、第一人者ではあっただろう。だから、青年を堕落させるとか善い者にするとかいうようなことは、まさにソクラテスの専門に属することだったと言える。そしてそのソクラテスを、明らかにその問題に関しては非専門家であった無名の青年メレトスが告発したのである。「だが、この私としては、アテナイ人諸君、不正を働いているのはメレトスであると主張します。それは彼が未だかつて少しも彼の気にかけなかった事柄について、あたかも熱心であり、心を悩ませているような風をし、軽々しく人々を裁判に引きだして、真面目な顔でふざけているからなのです」（二四c）。このようなソクラテスの発言には、この問題を取り扱う際のメレトスの軽率な態度に対する抑えた憤りと共に、その憤りを正当なものにしている彼の自負心がうかがえるのではあるまいか。

呼び出されたメレトスに向かってソクラテスは、青年たちを逆により善くする者は誰であるかと問う。そしてメレトスからひき出した答は、ソクラテス以外のすべての者がそうであるということだった。これを認めたことは、やはりメレトスの失敗だったであろう。ソクラテスが馬やその他の動物の例をもち出すまでもなく、善くする者が大多数であって、悪化させるのはごく少数であるという彼の答は、余りにも経験的事実に反することが明らかであったし、そのことはまた、彼の関心が事の当否や真偽にはなく、ソクラテスを有罪にせんがため、法廷にいるアテナイの人びとの歓心を買うことにあったことを示すものに外ならなかったからである。

▼**自ら害悪を求める者はない**

右の反論は、どちらかと言えば、経験の事実に照らしてメレトスの主張の欠陥をあばこうとしたものであったが、次にソクラテスは一層論理的な反論を試みている。それは、故意にソクラテスが若者たちを害することはありえない、ということを論証するものであった。ソクラテスの推論を順を追って整理してみよう。まず、

(1)悪い人は身近にいる人に害悪を与えるが、善い人は善いことをなす。
(2)何人も自ら害を受けることを（故意に）欲する者はない。

この二つのことをメレトスは、はっきりと肯定し、そしてこの二つが推論の前提とされる。

(3)しかるに（メレトスの主張では）、ソクラテスは身近の若者たちを故意に害しており、彼らは悪くなっている。
(4)それ故（(1)により）、ソクラテスは身近の若者たちから、故意に害をうけようとしている。
(5)右の(4)が前提(2)によって成り立たないとすれば、可能な結論は次のいずれかである。
　a　ソクラテスは若者たちに害を及ぼしていない。

　b ソクラテスは若者たちを害してはいるが、故意にではない。
(6) 右のa・bいずれにしても、メレトスの言は真実ではないことになる。
(7) また、aならもちろん訴訟は成り立たず、bなら個人的に教えたり注意を促したりすべきであり、どちらにしてもメレトスの告訴は妥当性を欠くであろう。

　前提を承認する限り、メレトスは(5)の結論を避けることはできなかったし、この結論に基づく(6)と(7)のようなソクラテスの追及をかわすこともできなかっただろう。およそ人が他の人を害ない悪しき者にする、しかも故意にそうするというようなことは、実際にはそう滅多にあることではなかろうし、ソクラテスは故意にそうした、とメレトスが言い切ったことには、やはり初めから無理があったと言わなければならないだろう。しかし故意にと言い切らなければ、メレトスの告訴は迫力を欠いたものとならざるをえない。本当に故意であったかなかったかは、メレトスにとって実はどうでもよいことだったのである。

　そしてまた、例外的なこととして、他人を故意に悪しき者にするというような場合には、自己の不利益のためではなく、自己の利益を図ってそうするはずであろう。だがメレトスは既に二つの前提において、そういう可能性を自ら否定してしまっていたのである。初めからソクラテスのペースに乗せられていたと言えるかもしれない。しかしソクラテスの方は別に詭弁を弄したわけではなかった。故意に、かつ自己の利益を図って、他人を悪しき者にする、というようなことは、少なくとも彼の論理には全く合わないことだったであろう。自己の利益とは自己の善でなければならず、「他人の悪であることを要求する善」の如きは、一種の形容矛盾に外ならないからである。ソクラテスは、ロゴスによる吟味を通さずには、何ごとも承認しないような人だったのである。

▼無神論者

宗教上の罪を問う告訴状第二項は、前にもふれたように、第一項に対する理由ないし原因として扱われる。すなわち「君の書いた告訴状によれば、国家が信仰する神々を信仰せずに、別の新しいダイモニアを信仰するように教えることによって」(二六b)ソクラテスは若者たちを害している、とされた。しかし「古くからの告発」との関連からすれば、若者たちのことに関してソクラテスが非難されるのは、彼らが知恵の吟味をソクラテスに真似て行なったという点においてでなければならぬだろう。しかし、ソクラテスの死刑を求める罪状としては、恐らくそれは充分なものではなかった。メレトスは、第二項を第一項に関連づけるソクラテスの告訴状解釈を、我が意を得たりとばかり肯定するのである。それは恐らく深く考えた上での肯定ではなかっただろうけれど、罪状としてより大きな重みをもつ神否認の罪がもし成立するならば、これとの因果関係が承認された第一項も、再び息を吹き返す可能性があったのである。だがまた逆に、この第二項を覆すことは、ソクラテスにとっては同時に、第一項をさらにもう一つの面から覆すことをも意味しただろう。

ともあれソクラテスは、神否認ということの意味をメレトスに確認することから始める。第二項は普通に読むならば、ソクラテスを異端の徒とするものであることが、恐らく明らかであろう。

それにもかかわらず、メレトスは敢えてソクラテスを無神論者に仕立てようとするのである。これはいわばメレトスの勇み足だっただろう。異端ということだけでも、宗教上の罪を問おうとする場合には、充分だったと思われるからである。そしてメレトスが敢えてそうしたことの背景には、一つの先入観があったと考えなければならないだろう。それはソクラテスをイオニア風の新思想と結びつける、一般の人びとの思い込みだった。既に「古くからの告発」の中でアリストパネスが喜劇仕立てで描いていたものと結局は同質の偏見だったわけである。ただアリストパネスの場合にはひやかしやからかいであったものが、今度は悪意による中傷・非難として現われたのである。

エーゲ海の東岸イオニア地方に始まったギリシア哲学は、自然的世界を統一的に説明する理論を求めたが、その中からギリシアの伝統的神観に反するものや、無神論的な傾向の思想が生まれていたことは事実だった。太陽を燃える石であるとし、月を土から成るとするアナクサゴラスの哲学もその一つであったと言える。ギリシア人はそうした思想に対しても、特殊な場合を除いて充分寛容であった。現にアナクサゴラスの書物がアテナイの市場で容易に買えることを、ソクラテスは証言している。しかしアナクサゴラスは、ギリシア人がその寛容さを失う特殊な場合に遭遇したのである。プルタルコスによれば「またディオペイテースは神々のことを認めなかったり天空の現象に関することを教えたりする人を罪に問う法案を提出し、アナクサゴラースを口実にしてペリクレースに嫌疑を掛けさせようとした」。そしてペリクレスは「アナクサゴラースについては非常に心配してこれを国外に去らせた」（河野与一訳『プルターク英雄伝』ペリクレスの章三二）のである。イオニアのクラゾメナイからアテナイに出て、時の有力者ペリクレスと親しく交わり、その優れた助言者でもあった彼は、かえってそのことの故に、事実上の国外追放を受けることになったわけである。

しかしソクラテスの方は、むしろ自然哲学とは無縁であった。プラトンの『パイドン』（九六c）やディオゲネス・ラエルティオス（『生涯と教説』Ⅱ・二一）は、彼が自然の研究を離れて、もっぱら倫理的な問題に携わったことを伝えているのである。ソクラテスの側のそうした事情について、メレトスが何も知らないことは明らかであった。同じ無神論を告発するにしても、太陽や月のことをもち出すのは見当外れであることに、彼は気付かなかったのである。

▼メレトスの自己矛盾

だがソクラテスは、メレトスの主張のそのような見当外れについては一応これを指摘するに留めて、次に、告訴状そのものの反駁に向かう。告訴状第二項は、国家公認の神々に対する不信仰と、別の新しいダイモニアに対する信仰という二つの争点を含んでいた。この二つの点が相互に矛盾するだろうというのが、ソクラテスの主張になるのである。

メレトスの用いたダイモニア（daimonia）という語はここでは名詞化されて使われているが、もともとダイモン（daimōn）という語の形容詞複数形である。そしてダイモンはソクラテスの説明では、普通、神々または神々の子とみなされているものであった。そのことを踏まえてソクラテスの反論は展開される。メレトスの主張でも、ソクラテスは少なくともダイモニアの存在は信じているのだった。だがダイモニア、すなわちダイモンに関係した諸々のことは信じているのに、ダイモンの存在は信じない、などということは不可能である。それはちょうど、馬の存在は認めないが、馬に関係あることどもの存在は認める、ということが不可能であるのと同様であろう。ところがそのダイモンは、(1)神々である、(2)神々の子である、のいずれかだった。したがって(1)の場合は言うまでもなく、(2)の場合であっても、ダイモンの存在を信ずることは神の存在を信ずることに外ならない。なぜなら、(2)については正統の神でない母親から生まれる場合もありうるが、それでも父である神の存在を認めないわけにはいかないからである。

こうしてソクラテスのダイモニア信仰は、神々の存在を前提として成り立っていることが示される。もともとダイモニアという語が普通には伝統的な神々との結びつきにおいて理解されていたのである以上、その神々とは別の新しいダイモニアという概念の成り立つ余地は、初めからなかったとも言えるだろう。メレトスの告発が有効であるためには、ダイモニアに普通の解釈では納まらない何らかの説明を与える必要があるのだった。しかしながら本当に必要だったのは、この場合にもやはり、真実を明らかにすること以外ではないはずであり、メレトスの告発も、ソクラテスの宗教上の不都合を、事実に即して立証していなければならなかっただろう。そして告発がそのようなものであったならば、ソクラテスの反論もまた少し違ったものになったはずである。日常のソクラテスの敬神的態度について述べるクセノポンの『ソクラテスの思い出』の記述は、そういう場合の反論の具体的なサンプルとして読むことができるだろう。

5　神命

▼守るべきもの

メレトスの告訴状と、それに対するソクラテスの反論ということに限ってみるならば、この勝負はソクラテスの一方的な勝ちに終わったと考えざるをえない。メレトスを含めアニュトス一派としては、恐らく沈黙するより外に、どうしようもなかったのではあるまいか。だが勝ち負けを別にして、ソクラテスの反論がどの程度説得的であったか、とりわけアニュトス一派をどの程度納得させえたか、ということになると、かなり疑問があるだろう。告訴状そのものは完全に論破されたにもかかわらず、彼らには何か釈然としないものが残ったようにも想像されるからである。告訴状は論破されても、それでソクラテスの無罪が証明されたわけでは決してなくて、言葉では適確に表現できないが、とにかくソクラテスは罪を犯しているのだ、という思いが恐らく強かったのではあるまいか。

そしてまたソクラテスの方も、メレトスへの反論だけで事が終わるとは初めから考えていなかったらしく、そのことは、彼がわざわざ「古くからの告発」を紹介し説明していたことからも知れるだろう。そのような意味では、メレトスの告訴状は、原告にとっても被告にとっても、本当の争点ではなかったと言える。そして原告側は、恐らく言葉で適確に捉ええなかったために、その本当の争点を法廷にもち出すことができぬままに終わった。むしろ被告であるソクラテスが、本当の争点を明らかにすべく、敢えて努力を続けることになる。奇妙な被告であったと言わざるをえない。

だが、そのために彼の為すべきことは、自己の信条と自己の生き方を、過去と現在と将来の全体にわたって明らかに示すことであった。「古くからの告発」や、メレトスの新しい告発に描かれたようなソクラテスの虚像ではなく、自らが示す実像についてアテナイの人びとが審判を下すことを、ソクラテスは正面から求めているように見える。それはある意味では、アテナイの人びとに対するソクラテスの挑戦――真なるものへの愛を賭けた挑戦――でもあっただろう。事実、彼の言葉は一層厳しさを増すのである。

「君の言い分はよくないよ、君。誰であれたとえ僅かでも有用な人間なら、事を為すに当って、自分のすることが正しいことか不正なことか、また正しい人の為すべきことか、不正な人の為すべきことかという、そのことだけを考えればいいのではなくて、生きるか死ぬかの危険を考慮に入れなければならないなどと、もし君が考えているのならね」(二八b)

知恵の吟味という仕事が、デルポイの神によって命ぜられた、この世における自己の持場であると解するソクラテスは、生死を度外視してその持場を守ることを正しいと考える。それは既にペロポンネソス戦争の際、戦場において示された彼の態度と同一のものであった。人が最終的に守るべきものは必ずしも自己の命ではないということを、彼はホメロスの描くアキレウスの場合を例にあげて説明している。ソクラテスの倫理は、ギリシア的伝統から独立のものではなかったのである。そして、これが彼の生き方の基本原則であるとすれば、それは、法廷に立つソクラテスが、いま実践しなければならない原則でもあったことは言うまでもない。

▼馬とアブ

メレトスの後楯となって彼の応援演説をしたアニュトスは、断じてソクラテスは死刑に処すべきであると主張していた。彼らが初めからそのつもりであったとすれば、ソクラテスにとって死はかなり現実的な問題だったわけである。そのような裁判において彼が生死を度外視する態度に出たことを、われわれはもはや、彼の単なる虚勢として片付けることはできないだろう。そしてそのことと同じ程度に、また同じ意味において、次のような発言も決して彼の虚勢ではないのである。

「だからアテナイ人諸君、今この私が弁明しているのを、人はあるいは私自身のためだと思うかもしれませんが、それはとんでもないのであって、むしろ諸君のためなのです、すなわち、諸君が私に有罪判決を下して、神の諸君への贈物について諸君が誤ちを犯したりなどしないようにと、やっているのです」(三〇d―e)

彼は自らを、デルポイの神によってアテナイの人びとに贈られた贈物であると言う。彼の弁明は、彼自身の命のためではなく、神から命ぜられた彼の使命のために、なされなければならないのである。

それにしても、これはアテナイの人びとにとってかなり厄介な贈物であった。それ故ソクラテスは自分を、アテナイというすぐれた血統の大きな馬にとまった一匹のアブに喩える。この馬は大きいだけまた鈍なところがあって、たえずつきまとっては刺激し目覚めさせるアブを必要とするのである。しかし馬にとって、アブはうるさい存在には違いない。場合によっては、容易に叩き潰されることになろう。現在のソクラテスは、潰される危険に直面しているアブだったのである。

アテナイの人びとをそのようにうるさがらせたソクラテスの仕事は、知の吟味、無知の暴露といったものであることを既にわれわれは知っている。だが、知に関するそのような知的活動は、彼の場合、同時に実践的な意味をもっていた。知はもっぱら事の真偽に関わるが、真偽は本来論理の問題である。ところがたとえば、正とは本当にどういうことであるのかを知らなければ、本当に正しい行為をすることは不可能である、というような意味において、真偽は直ちに倫理的な問題になったのである。知を吟味し無知を明らかにすることは、偽りの、あるいは確かな根拠を欠く、正義、節制、徳等についての知を排除することであり、真なる知を愛し探求してゆくためには、そのような、言わば破壊的作業が、不可欠の前提とされたのである。したがって知の吟味ということは同時に倫理的吟味であり、ソクラテスの活動の積極的な面が、それに伴って表われることになる。

日常、人がより多く気にかけるのは身体や金銭や名誉のことであり、それがわれわれには普通のことであるのかもしれないが、しかしそれらを生かすことができるかどうか、善きもの価値あるものにすることができるか否かは、すべて魂のあり方にかかっているとソクラテスは思う。思慮をみがき、真なる知を探求することは、外でもない、その魂をより優れたものにすることだったのである。それ故ソクラテスは、アテナイ市民の一人一人にアブのようにつきまとい、魂のことを本当に気遣うように説き続ける。それが神によって命ぜられた彼の持場だったからである。

▼ダイモニオン

アテナイの人びとに対するソクラテスの文字通り無償の奉仕活動は、彼に家のことを省みる余裕を失わせ、彼をひどく貧乏にもした。しかもそれは相手に頼まれたわけではない、むしろ余計なお節介だったのである。彼自身言うように、これは普通の人間のすることではなかっただろう。アポロン神の介在ということが、やはり自然なことのように思われてもくるのである。こうした、最も深いところで神とつながっているような生き方にソクラテスの生の特徴があるとしたら、彼の身に子供の頃から現われたというダイモニオン（ダイモン的なもの）も怪しむに足らないのかもしれない。

メレトスの告訴状の第二項には、ソクラテスが国家公認の神々とは別の新しいダイモニア（daimonion の複数形）を信じていることが言われていた。そしてソクラテスはメレトスへの反論として、このダイモニアが伝統的な神々とは別の新しいものではありえないことを論証したのである。だがソクラテスの反論はそこまでであって、そのダイモニアを彼が信じているかどうかということについては、一言も触れていなかった。メレトスへの反論のためにはその必要がなかったからでもあるが、実は、ソクラテスとダイモン的なものとの関係は、既定の事実として、かなり広く知られていることでもあったらしいのである。これはソクラテスによれば「何か声のようなもの」であり、「それが現われる場合には、私が何か為ようとしていることがあると、それを私に思いとどまらせるのが常であって、勧める働きは決してしない」(三一d) ものであった。ソクラテスはこのダイモン的なものを信じ、それに従って生きてきたのである。デルポイの神アポロンの命に、我が身のことも省みずに従うような、言わば神に憑かれたソクラテスは、決して突然の変身ではなく、唐突に生まれたものではなかったのであろう。ただそれらすべてがわれわれの理解をこえているだけである。余りにも神秘的なソクラテスと、極めて合理的なソクラテスを結びつけて考えにくいのは、恐らくわれわれ自身のせいであって、彼が矛盾した存在であるからではないであろう。われわれは神秘性と合理性とを切り離して考えることに慣れすぎているのである。

▼私人でなければならない

ところがソクラテスのダイモニオンは、アポロンの命を行なおうとする彼に一つの制限を加えていた。すなわち彼の実践が公の発言・行為の形をとることを、それは禁じたのである。公に発言する機会は、求めれば彼にも充分ありえただろう。なぜなら公事に直接参与することはアテナイ市民の権利であるとともに義務でもあり、そのことをかつてペリクレスは有名な追悼演説の中で、民主制アテナイの特徴として誇らし気に語ってもいたのである(ツキディデス『戦史』II・四〇参照)。

前六世紀初頭のソロンの立法によって始められた民主化の方向は、同世紀末のクレイステネスの改革と共に大幅に進展し、次の五世紀にはそれが、空前の民族的試練であったペルシア戦争を乗り切る力となり、やがてペリクレスの指導のもとで、アテナイの黄金時代を作り上げたのだった。中断の期間はあったにせよ、民主制はすでにアテナイの政治制度の基本原則になっていたようにみえる。そして民主制とは要するに、固定的な支配者をもたず、市民が交替に支配したり支配されたりすることのできるような制度のことだった。軍事や行政や裁判などに関わる公的な職務のすべてが、選挙や抽籤によって行なわれ、市民権をもつ者は原則として誰でも、それらの職務につきえたわけである。ソクラテスにしても例外ではなかったのであり、ペロポンネソス戦争末期の頃、彼は抽籤で選ばれて、当番評議員会《プリュタネイス》の一員を務めたことがあった。

クレイステネスの改革以後、アテナイ人は一〇の部族に分けられており、各部族からは、毎年五〇名ずつの評議員が選出されて、五百名からなる国家評議会が形成され、行政の監督や、民会にかける議事の予備審議などに当たっていた。当番評議員会というのはその中心となる機関であって、部族ごとの輪番制で務める定めであった。それゆえ各当番評議員会は一年の一〇分の一に当たる三五日ないし六日の間、形式上、言わば国家の中枢となったわけであり、その議長は「国家の金と公文書を蔵する諸神殿の鍵や国璽を保管」する重責にあった（アリストテレス『アテナイ人の国制』四四章、村川堅太郎訳）。国家評議会を招集したり、ポリスの最高議決機関である民会のために議事運営を司るのも、彼らの役目であった。

ところがソクラテスたちが運営に当たった国家評議会と民会は、アルギヌーサイ沖の海戦（前四〇六年）で働いた一〇人の将軍を一括審議で有罪にするという違法を行なった。理由は、将軍たちがスパルタ軍を破りはしたものの、折からの嵐のために、味方の一二艘の沈没船の兵士たちを救助できなかったことの責任を問うというにあった。それにしても法律上は、個別審議を必要としたのである。そして、この違法なやり方に反対しただ一人の当番評議員が、ソクラテスだった。公的な発言として彼は、法律違反を行なわぬよう市民たちに求めたのである。他の評議員や多くの市民たちは、彼を告発し拘引しようと騒ぎ立てた――これが彼の公的活動の経験である。魂を優れたものにし、正しく善く生きることを勧めるソクラテスの日常活動が、私的交際の範囲を越えた場合に生ずる危険の一端を、それは示しているかに見えた。ダイモニオンの禁止を納得する理由が、そこにはあったのである。

政治や軍事は、本来、彼固有の持場ではなかった。神によって与えられた彼の持場を守るためには、国事に携わって命を縮めることを避けなければならなかった。彼は私的交際の場を唯一の活動舞台にするという、極めて非能率的な方法をとらざるをえない。演説による大衆への訴えではなくて、個別的な一対一の問答がそこに根気強く繰り拡げられることになる。風変りであるために目立つ人物だったにしても、彼は市井の一私人であろうとしていたのである。

▼人の師にはあらず

前四三一年に始まり、四〇四年に至って漸くその決着をみたペロポンネソス戦争は、この世紀初めのペルシア戦争と違って、アテナイとスパルタをそれぞれ盟主とする二陣営の間で戦われた内戦であったから、いずれが勝つにせよ、民族の不幸ということには変わりがなかったかもしれない。しかし開戦三年目（四二九年）に、偉大な指導者ペリクレスを喪ったアテナイは、その後混迷を重ねて、不必要な戦争の悲劇を数多く生み出すことになる。アリストパネスが激しい批判を加えていた煽動政治家クレオンも、そうした中から生まれたものであった。そして四一五年には、一世の驕児アルキビアデスによってアテナイ海軍のシケリア遠征が強行され、結局大敗北に終わったが、海軍国アテナイにとってこれは致命的な打撃であり、敗戦を避けられぬものにした。やがて四〇四年の敗戦の直後、アテナイには三〇人の指導者による寡頭制政府（三〇人会）が出現し、結局一年定らずの短命に終わったものの、伝統的な民主制を一時的に廃止させていた。

ソクラテスの中年から老年へかけてのこのような歴史の流れの中で、アテナイの不幸の原因の少なくとも一端を担っていた二人の人物が、市民たちの間ではソクラテスの仲間と目されていた。一人はアルキビアデスであり、もう一人は三〇人会のメンバーで、プラトンには母方の叔父に当たるクリティアスである。アニュトスらの抵抗によって三〇人会が倒れ、再び民主制が復活した後のアテナイ市民に、こうした人物の存在が、ソクラテスについての悪い印象を与える働きをしたとしても、仕方のないことだったかもしれない。ソクラテス告訴のもう一つの背景には、実際にそのような要素があったと考えられるのである。

しかし、ソクラテスの側にも言い分はあった。彼は相手を選ばず誰とでも問答していたし、しかも自ら知者であることを否定していたから、誰かに対して何かを教えたというような関係は、本来成り立ちえないことだったのである。彼の用いる問答法は決して一方的な教え込みではない。ソクラテスと問答相手とは知者と無知者の関係にはなくて、むしろ無知者同士の関係にあった。少なくともソクラテスはそういう関係を目指したのである。その関係のもとでは、彼は教師であるよりも共同探求者に外ならない。これをなおソクラテスの教育と言ってよいなら、それは問答相手の心に働きかけ、相手の心の自発を促す教育だったのである。

プラトンの『饗宴』は、アルキビアデスが、もって生まれた性向と、ソクラテスによって目覚まされた、真なるものを愛求する心との板ばさみになって苦しむ様を、彼の告白の形で描いている。結果的にみてアルキビアデスの行為に、実効ある影響を与えることがソクラテスにはできなかった、とは言いうるとしても、彼を堕落させたような証拠は見いだしえないのである。クリティアスの場合もまた同様であろう。しかもソクラテスは、かつてクリティアスらの三〇人会が、彼を含む五人の市民を呼び寄せて、サラミス人レオンを処刑のために連行するよう命じた時、この処刑を不当とみて、その命令に服さなかったことがあった。クリティアスは、所詮、ソクラテスの仲間ではなかったのである。およそ人の師であることを否定していたソクラテスにとって、敢えて不正に加担したクリティアスは、いよいよ遠い存在であったに違いない。

ソクラテスが大衆演説を用いず、問答法を用いたことは、真なるものの共同探求ということからすれば、やはり適切な選択だっただろう。彼が公の立場を避け私人に終始しようとしたことが、本当にダイモニオンの禁止という言わば外的強制に基づくものであったとしても、われわれはそこに、むしろソクラテスの積極的な意志を感じざるをえない。私人であることは、彼の方法のためにも望ましかったのではあるまいか。同様に、アポロンによって下された彼の天命も、既に彼の意志に属するものだったのである。

6 判決

▼被告と裁判官

アテナイでは裁判は、市民相互間に生じた事件を扱う私法関係のもの（dikē）と、ポリスに対する犯罪を扱う公法関係のもの（graphē）に分けて行なわれた。後者の方が犯罪としては重大であって、前者が日に四件も処理されたのに対し、後者は一日がかりの裁判だった。一日がかりと言っても九時間足らずであり、そのうち被告に許される弁明の時間は三時間余りにすぎない上、控訴の制度もなかったから、被告にとって有利な条件とは言えなかった。ソクラテスの場合はこの、公法関係の裁判だったのである。法廷は一種の陪審制を採っていて、公法関係では五〇一人の陪審員が一単位を成し、事件の重大性に鑑みて、時にはこれが二倍になったり三倍になったりした。ソクラテスは別に国家の転覆を図ったりしたわけではないから、恐らく五〇一人の法廷で裁かれたものと考えられる。陪審員のほかに裁判官はおかれておらず、言わば陪審員がこれを兼ねていた。弁論の中でソクラテスがしばしば「アテナイ人諸君」と呼びかけているのは、したがって、陪審員に対してである。

原告被告のそれぞれの弁論のあと、どちらの弁論を支持するかについて、陪審員たちの投票が行なわれ、より多くの票を得た側が勝とされた。起訴は検察官のような専門官によらず、市民によって直接なされたが、でたらめな訴えを防ぐ意味で、陪審員の投票の結果、一定数以上の賛成票が得られないと、原告自身も罰せられた。だから、水時計によって計られている自分の持ち時間内で、如何にして陪審員たちの心をつかむかということが、被告にとってはもちろん、原告にとっても最大の関心事となったのである。こうしたことから、法廷弁論の技術が研究され、その方面の専門家が現われたりしたが、口頭弁論では事足りず、親族や友人たちを動員して、陪審員の同情を買うための様々な試みがなされるようなこともしばしばあったらしい。殊に被告の生死に関わるような裁判の場合には、被告の側でそのような手段に訴えるのは、むしろ稀なことではなかっただろう。

ともあれソクラテスは、自分がこの裁判においてそうした手段を採らなかったことについて、弁論の最後に一言触れなければならなかったのである。彼が指摘するのは、誰であれ法廷におい

現在のアゴラ跡。左上はヘパイストス神殿、その手前円形地はトロス跡。

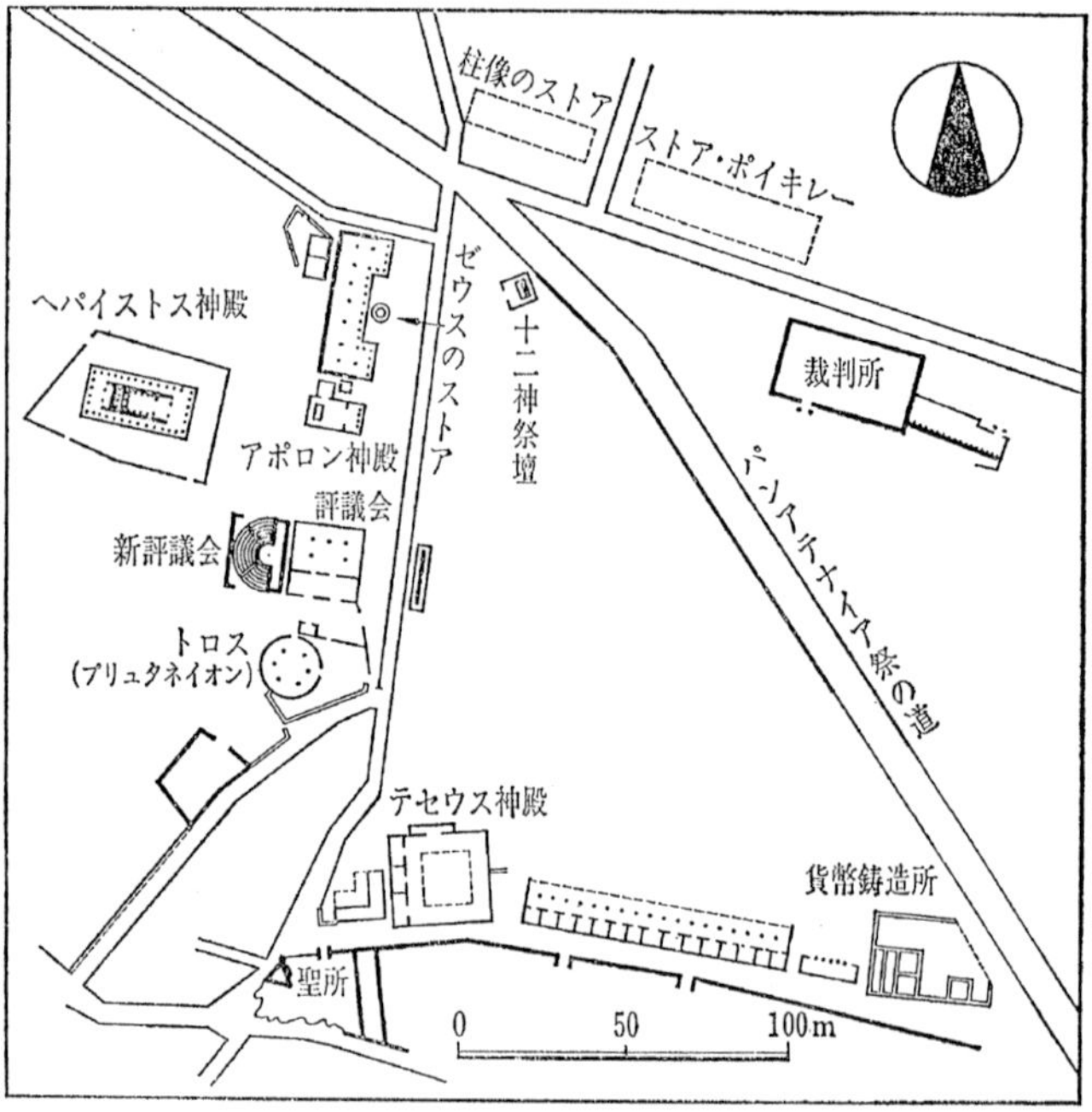

前5世紀頃のアテナイのアゴラ図。右上の裁判所でソクラテスの裁判が行なわれたかと思われる。

てその者にふさわしくない振舞いをし、醜態を演ずることはポリスの恥辱であるということであり、そしてまた、何よりも、それは正しいことではないということであった。法律に従って裁判することを神かけて誓った裁判官（陪審員）に対し、その誓いを破らせるように被告が働きかけることは、神を無視することに外ならない。だからまた、弁明を尽した後、判断を裁判官たちに一任することは、同時に、彼らが誓った神に身を委ねることでもあったのである。これは被告と裁判官とが法廷においてとるべき態度、本来のあり方、についてのソクラテスの要請だったと言えるだろう。そして、それは既に弁論の冒頭において、彼が述べていたことでもあったのである。

▼死刑求刑

ソクラテスの弁論が終わると、陪審員たちによる投票が始まる。ソクラテスを有罪と認めるか、無罪とするかの決定を行なうためである。彼らはまず、投票係の役人から青銅製の投票具を二個ずつ受け取る。投票具には心棒があって、一つはその心棒に穴が通じており、もう一つは詰っている。投票箱は青銅製と木製の壺であり、前者には賛成票を、後者には反対票を投ずるように定めてあった。原告の弁論を支持する陪審員は、穴のあいた投票具を青銅製の壺に、他を木製の方に入れ、被告を支持する者は、反対に、心棒の詰った方を青銅の壺に入れてゆく。投票が済むと、役人たちによって原告被告の目の前で青銅の壺が開けられ、計算板の上で、穴あきの投票具と心棒の詰ったそれとを分け、それぞれの数が算えられ、結果が報告される。

投票の結果はソクラテスを有罪と認めていた。メレトスらによるソクラテス死刑の要求が、現実のものとなったのである。ソクラテスは、半ば予想していたこととして、この結果を平静に受け取る。むしろ彼の予想では、票差はもっと大きくなる可能性もあったのである。「投票のうちほんの三〇票だけでも逆に投ぜられていたら、私は無罪になったことだろう」（三六a）という彼の言葉を仮にそのまま受け取るなら、二二一票対二八〇票という票数だったことになろう。だがわれわれはこの結果について、どのように考えたらよいのだろうか。必ずしもソクラテスと同じ感想をもつわけにはいかないだろう。無罪であったら驚きだろうか。あるいは有罪にしても一票差であったら驚きだろうか。

しかしソクラテスの予想は、恐らく根拠のないものではなかった。一つには時間の短さということがある。多年に亙る誤解、偏見、中傷の根深さに比べて、弁明に許された時間は余りにも短かった。「死刑に関しては、ただの一日だけで裁判するのでなく、多くの日数をかけるという法律があったとしたら、諸君にも納得してもらえたことでしょう」（三七a―b）と彼は言うのである。もう一つは裁判に臨んでの彼の姿勢であった。無罪となることを第一の目標とせず、陪審員に全く迎合しない彼の厳しい物言いは、決して陪審員の好意を期待する人のそれではなかった。陪審員自分の厳しい姿勢に対しては、反応もまた厳しいであろうことが、充分予想されたのではあるまいか。

それにしても、われわれが思い出さなければならないのは、裁判官たちが、抽籤で選ばれたごく普通の市民であって、学識経験豊かな専門家などではなかったということである。敗戦後間もない、ソクラテスにとって決して有利ではなかった社会情況をも考慮に入れるならば、投票結果についてのソクラテスの感想が、あるいは妥当だったかもしれないのである。

▼ **刑量の申し立て**

有罪が確定したならば、引き続いて刑量の決定がされねばならない。アテナイの制度では、まず原告が求刑し、これに対して被告が不服の場合には、自ら適当と考える刑量を、進んで申し立てることになっていたらしい。両者の要求が出そろったところで、裁判官たちは前回と同じやり方で投票し、刑量を決めるのである。したがってこの場合の裁判官の務めは、原告の要求と被告の要求のどちらを妥当と認めるかという、二者択一的な選択をすることにあった。それ故、被告の側としては、原告の求刑をも勘案し、裁判官に採用されやすいような刑を申し立てる、一種のかけひきが必要になってくるのである。

しかし、被告のそうした申し立ては、自己の有罪を、いさぎよくであろうと、不承不承にであろうと、不本意ながらであろうと、とにかく一応認めた上でなされるはずのものであっただろう。有罪の決定が出ている以上、それはまた避けられないことでもあったわけである。だが、妥協することを初めからやめているソクラテスは、自己の有罪を多少でも認めることはなかっただろう。したがって、有罪であるとは信じない者が、有罪を前提とした刑の申し立てをしなければならないという、奇妙な事態が生ずることになったのである。

こうした事態のもとで、人はどのような態度をとりうるだろうか。しかしソクラテスは、ごく自然に独得の対処の仕方をしているようにみえる。

「私としては、何ぴとにも不正を働いていないと信じているのだから、自分自身に不正を働くなどということは、とんでもないことである、すなわち、私自身に関して、私は悪いことか何かそういったことを我が身に科するにふさわしい者であると、自ら申し立てるなどということは」(三七b)

人間の行為についての彼の最大の関心事は、その行為の正不正という点であった。然るべき理由もなしに自分の受けるべき刑罰を申し出ることは、自己に対して不正を働くことに外ならない。なぜなら刑罰である以上、申し出るものは自己にとっての何らかの悪でなければならないからである。そのことが全く論外であるならば、自己の刑量の申し立てという被告の義務規定について、彼なりの読み替えをせざるをえない。すなわち彼は、その申し立ての義務を〈自分がしてきたこと——それを罪と言うにせよ、言わないにせよ——に対して国家から何かを受けるとしたら、何がふさわしいか〉ということとして受けとめるのである。

それでは、ソクラテスのしてきた仕事というのは何であったのか。彼は公人として活動することを差し控えた。それは、他人のためにも自分のためにもならないと、判断したためである。その代わり彼は、市民の一人一人に働きかけることをした。そして、財産や名誉、あるいは身体など、自分に付属するにすぎないものよりも、自分自身、すなわち魂のことをまず第一に配慮すべきであり、ポリスや他のものについて配慮する場合にも、これと同じ考え方をすべきではないかと説いてまわった。そういう彼の働きを、いま客観的に評価すべく迫られている。ソクラテスはそのように解釈してみるのである。

▼ふさわしい刑

さきに見てきたように、弁明演説を通じてソクラテスが法廷に要求してきたことは、自分の虚像ではなく実像について正不正を判定して欲しいということだった。右のような刑量申し立てについての再解釈も、結局はこの要求に結びつくものであっただろう。それ故彼は、自分が実際に何をしてきたかという事実をかいつまんで示し、その事実にふさわしいことの何であるかを考えようとする。その事実の評価については見解が分かれたわけだが、少なくともソクラテスとしては、それを悪と考えることはできない。したがって彼が行為の代償を自ら申し立てなければならないとすれば、それは自己にとっての善きものでしかありえないだろう。かくて、彼がさし当り申し立てたのは、プリュタネイオンにおける食事という、恐らく法廷のすべての人びとの意表をつくような事柄だったのである。

プリュタネイオンは、アゴラの一角にある公共の建物で、ここには公共の炉があり、消えることのない火が燃えていて、ポリス共同体の中心となっていた。外国からの使節はこの場所で饗応され、また国家の功労者や、オリュンピア、ピュティア、イストミアなど、全ギリシア的な大祭礼競技会において優勝した若者などが、やはりここで公費による名誉の饗応を受ける慣わしだった。ソクラテスは、それらの人びとが受けるのと同様な扱いが、自分にはふさわしいと主張した。被告が申し出る刑としては、風変りという以上に、前代未聞であったに違いない。不真面目な申し立てと思い、立腹する裁判官も多かったかも知れない。しかしソクラテスの側からすれば、これは決して突飛な思いつきでも、敢えて奇を衒ったものでもなく、まして法廷を軽んじたり、愚弄したりするものでは、全くなかったであろう。むしろ出るべくして出た結論だったと言ってよい。

だがこのような申し立てが再び自分への誤解を深めかねないことを、彼もよく承知している。彼は常識的な線での選択が不可能である所以を説明しなければならない。普通に考えられる刑と言えば、罰金、投獄、国外追放などであった。だが貧乏なソクラテスには、罰金を払うだけの資力はない。また、投獄されることが自分にとって悪いことであるのは、明らかであった。なぜならそれは、監獄の役人に隷属して生きることを意味するから。知の吟味という従来の仕事が続けられない生活は、ソクラテスにとって、生きるに値しない生活だったのである。国外追放を選べば、あるいはそのような生活が続けられるかもしれない。しかしその結果は恐らくまた追放の繰返しに終わるだけであろう。すでに七〇歳のソクラテスが、敢えてそれを望む理由はなかった。具体的に検討してみるならば、彼には選択の余地がないとも言えたのである。

▼銀三〇ムナ

考えうる刑の中で、投獄や国外追放が悪しきものであることは自明であるにしても、罰金刑については、資力がないという消極的理由が見いだされるだけであった。罰金の支払いが刑罰でありうるのは、それが人の資産に大なり小なり打撃を与えるためであるとするならば、ソクラテスの場合には、それは刑罰としての意味を欠いていた。罰金の支払いが彼の乏しい資産に害を与えるということはありえても、それは所詮、彼の付属物にとっての害にすぎず、彼自身が害を受けるわけではなかったからである。それは一時的な強がりや負け惜しみから出た詭弁のようにもみえながら、実は、前にもすでに触れた如く、彼自身の常々説いていた考え方だったのである。そして、より本質的なものを求め、それに執着することで生きてきたソクラテスの目に、金銭が単なる付属物とみえたとしても、不思議ではなかっただろう。

しかしそれにしても、彼に支払いうる金額といえば、せいぜい銀一ムナにすぎなかった。アリストテレス（『アテナイ人の国制』四九および六二）によれば、民会出席者の日当が一ドラクマ（百分の一ムナ）、陪審員のが三オボロス（半ドラクマ）であり、会食を義務づけられている当番評議員の日当は食費を含めて各人一ドラクマであり、廃疾者の扶養料が一日当たり二オボロスということであるから、一ムナは金額としてはそれ程わずかなものではなく、正確な換算は困難としても、科料として必ずしも非常識な額ではなかったかもしれない。だが原告の求刑は最高刑の死刑であった。裁判官たちが死刑と共に秤にかけた時に、それと釣り合うためには、決して充分な額とは言えなかった。ソクラテスが銀一ムナなら罰金の支払いに応じようと申し出た時、クリトンやプラトンを始めとする、ソクラテスの仲間たちが彼に援助を申し出、三〇ムナへの増額を勧めるのである。こうしてソクラテスの申し立ては、落ち着くべきところに落ち着くことになる。

これはプリュタネイオンでの食事という、彼にとって当然とも思われた善きもの——しかし恐らく些細な善きもの——の要求から、善くも悪くもないものの申し立てに譲歩したものと言うことができるだろう（もっとも、ディオゲネス・ラエルティオス〔『生涯と教説』II・四一～二〕は、少し異なる書き方をしている。すなわちソクラテスはまず二五ドラクマ（四分の一ムナ）の科料を申し出、裁判官たちが騒然となると、今度はプリュタネイオンにおける食事を申し立てた、というのである。話としてはこの方が面白く、ソクラテスの毅然とした態度が強く印象づけられるが、それだけにまたかえって作り話めいても聞こえるであろう）。しかし生き延びることをこの裁判の目的とせず、強く期待もしていないソクラテスとしては、どちらの申し立てをしたところで、同じようなことだったかもしれない。彼が断じて避けなければならなかったのは、ただ、自ら進んで悪いことを自分に科することによって、自分自身に不正を働く、という一事だったからである。

ソクラテスの申し立てに引き続いて、裁判官たちによる票決が行なわれた。結果は原告の求刑が支持された。ディオゲネス・ラエルティオスは「そして彼らは〔有罪を支持した票数に〕新たな八〇票を加えて、彼に死刑を宣告した」〔『生涯と教説』II・四二〕と伝えている。ソクラテスの死刑は確定した。

7 生 死

▼裁かれた裁判官

ソクラテスは有罪であり死刑に相当する、という原告の申し立てがそのまま承認されたこの裁判は、ソクラテスの全面的な敗訴に終わったことになるであろう。有罪の票決が、三〇票というような小差によるものであったことからすれば、同じ敗訴にしても、死刑ではなく、国外追放の決定が出るような可能性も充分考えられたにもかかわらず、彼はその可能性を自ら放棄していたのであって、その限りでは、全面的敗訴という結果は、彼自身が招いたものと言えるかもしれない。とは言え、自らの天命を全うするために公事をすら避け続けてきたソクラテスが、自ら進んで死刑を望んだと考えることは、やはりできないだろう。彼が、死については普通と異なる考えをもっていたとしても、それはまた別の問題であって、積極的に死刑を望む理由はなかったであろう。しかしそれにしても、彼の弁明演説、また特に刑量申し立ての際の弁論は、裁判官たちを徒らに刺激し挑発する響きを全くもたなかったとは言えない。有罪判決の際の三〇票差が、死刑の票決において大幅に拡大したと聞かされても、われわれは特に不思議とも思わないのである。そしてこのように、敢えて死刑を欲したわけではないソクラテスが、裁判官たちに挑むような仕方で、死刑判決という結末に向かって進んでいく、一見矛盾した態度を、プラトンはわれわれに見事に納得させているのである。

だがそれはプラトンの文学的手腕によるものというよりは、彼が描いているソクラテスの態度そのものに、現に或る一貫性が認められるからだと言うべきかもしれない。それは無論、事を為すに当たって考慮すべきは死の危険ではなく、正しいか否かということのみ、とする態度の一貫性であるのだが、さらに言えば、その背後にあった、神への奉仕と称される彼の活動の一貫性でもあったように思われるのである。その活動の出発点をなした無知の暴露という破壊的作業が、既に日常化して当り前と思われている事柄を、敢えて疑うことに依拠するものだったとすれば、この裁判において彼が試みたことも、やはり同じ性質の作業ではなかったかと思われるからである。

彼は神命を受けた一匹のアブとして、ここでも、裁判官たちを刺激し挑発しているかのようであり、被告が涙を流して嘆願し、適当に妥協して決着する裁判の日常性に対し、裁判とはそもそも何であるかを問いかけているかのようである。そして、これまで常にそうであったようにこの場合にも、ソクラテスの問いかけを受ける裁判官たちは、彼によって吟味されていたのであり、ソクラテスを裁くことによって、同時に彼ら自身が裁かれてもいたのである。それ故、死刑の判決が出たあとのソクラテスの短い弁論は、五〇一名の裁判官の全体に対して向けられたものでは既になく、正義に与することのできなかった非裁判官と、正義を貫きえた本当の裁判官とを分けて語られねばならなかった。ディカステース（裁判官）というギリシア語も、ここではじめてソクラテスによって用いられることになる。ディカステースは、ディケー（正義）を識る人でなければならなかったのである。

▼生活の吟味

死刑判決後のソクラテスの弁論については、本当になされたものというよりプラトンの全くの創作と考えるべきであるとする二、三の学者たちもある。しかしわれわれはその点を余り問題にする必要はないであろう。そうした詮索はソクラテスを理解する上には概して役に立たないものだからである。いずれにしても、死刑判決後の弁論は、それまでの弁論の締め括りとして適切であり、かつまた実質的に不可欠な弁論だったのである。

ソクラテスはまず「私に対して死刑の票決をした人びと」（三八d）である非裁判官に向かって語りかけ、予言をしている。もちろん、彼らが原告の主張を支持した理由には、様々なものがあったに違いない。一部の人びとはソクラテスの周到な反論にもかかわらずアニュトス一派の主張を正しいと考えたかもしれず、あるいはまた一部の人は、正しいかどうかは別にして、とにかくソクラテスに悪意を抱いていたのかもしれず、あるいはまた、ソクラテスのことには無関心であったのに、法廷における彼の態度に、単純に反感をもっただけの人もいたかもしれない。しかし、そうしたいずれの場合にも、ソクラテスの活動の本質を捉えた上で、それに照らして、彼の有罪無罪を考えようとする姿勢を示さなかったことは、共通であっただろう。

活動の本質と言っても、それは別に難しいことだったわけではない。彼が目指したのは要するに、できるだけ善い人間になろうという、単純なことだったと思われるからである。ソクラテスを危険思想家とするアニュトスなどの政治的な見方も、ソクラテスのダイモニオンを非難する宗教的偏見も、この単純な目標に照らすなら、むしろ滑稽な空騒ぎのようにも見えてくるであろう。ただ、彼は「善い」ということを「善いと思われている」ことから区別して根本的に考え直そうとしており、そこから、単純な目標が単純とは見えなくなると共に、無用にして厄介な誤解や偏見も生ずるに至ったのであろうと思われるのである。

しかし善くなることを目標にする時、人は「善い」ということの何であるかを考えぬわけにはいかないだろう。どの程度根本的に考えうるかはともかく、考えぬわけにはいかない、その状況を作り出すことは、ソクラテスにとって神命に外ならなかったわけである。そして、善くなることを欲することが、生き方の現状を吟味するところから始まるとすれば、生き方の吟味ということが、ソクラテスによって最初に強調されなければならなかっただろう。「吟味を欠いた人生は、人間にとって生きるに価するものではない」(三八a)と断定するソクラテスは、この吟味の不愉快さを逃れるために彼を抹殺するということの無意味であることを、多数の非裁判官に対する予言として告げるのである。ソクラテスを断罪した彼らの側の理由が何であったにせよ、神命を受けた一匹のアブの死は、彼らにとっての幸いではなく、不幸をもたらすものであるに違いなかった。少なくともソクラテスは自己の死をそのように位置づけていたと言えるだろう。そしてまた、死を科することが実はソクラテス自身の不幸や不利益に必ずしも直結しなかったのであってみれば、ソクラテスの断罪は、原告の側に立つ人びとにとって、皮肉な結果を生むことを避けられなかったのである。

▼よき結末

しかしそれでは、ソクラテス自身にとって、この裁判の結果はどのような意味をもちえたのだろうか。原告を支持する投票をした多数派の人びとに語り終えた彼は、次に自分を支持した「裁判官」たちに向かって、このことの意味を明らかにしようとする。ソクラテスにとってこの裁判が困難なものであったことは確かであるが、しかしその困難さは、たとえば、「始めにも私の言っていたことだが（一九a参照）、もし私がこの中傷を、これ程多大なものになってしまっているのに、これ程僅かな時間であなた方から取り除くことができるとしたら、私は不思議に思うだろう」（二四a）というような、あるいは「この私はどんな人間に対しても故意に不正を働いたりはしないという確信をもっているのだが、しかしそのことをあなた方に信じさせることができずにいる」（三七a）というような困難さであった。死刑の判決を免れることの困難さというようなものではなかったわけである。死を免れるより、劣悪さを免れることの方がはるかに難しいというのが彼の主張であって（三九a参照）、劣悪であることを避けるとすれば、彼には現になして来たように弁論するしかなかったであろう。そしてその場合にどのような結果が現われるかも、ある程度推察のつくことであった。弁論を始めるに当たって事の成行きを神に委ねたソクラテスは、その結果をも、「それらのことは恐らくきっとこのようにならなければならなかったのであろう、私はそれで結構であると思う」(三九b)として自ら肯定しているのである。

だがこのような彼の自己確信は、ソクラテスにしばしば現われる、例のダイモニオンによって支えられていたのだった。現実に死につながったソクラテスの言行にあのダイモニオンが全く介入せず、したがって暗黙の了解を与え続けたことは、ソクラテスにとって、法廷での彼の言行が間違いではなかったことの証しであると共に、その結果としての死が、むしろ積極的によきものであることの証しでもあったのである。神の善意に対する絶対の信頼が窺われるであろう。ただその信頼は、彼自身の熟考と深く結びついていたようであって、盲目的な信仰とか、偶然に身を委ねきるようなこととは異なっていた。そしてそれだけに、ダイモニオンの不介入ということの意味を、彼は心から納得していたのである。

▼死とは何か

だがそれにしても、死が善きものであり、「死んでいることを悪いことだと思っている限り、われわれはみな正しく考えていることには決してならない」(四〇b—c)というのはどうしたことだろうか。ダイモニオンによってそれは既に明らかなことであったにしても、デルポイの神託に対した時と同じように、ソクラテスはそのことの意味を自ら考えずにはいられないのである。そして法廷におけるこれまでの弁論を通じて、ソクラテスは何度か生死の問題に言及していた。そしてわれわれは行為に対する彼の基本的態度として、事を為すに当たっては生死を度外視すべきだという考え方を知った。これはまた、単に死を免れるだけなら難しいことではない、という主張とも結びつけて考えなければならないことであっただろう。

要するにソクラテスは、徒らに死を恐れることを無意味としていたらしいのであって、それも単なる信念の如きものではなく、言わばものの道理がそうだったのである。彼は既に次のように述べていた。

「死を恐れるということはですね、諸君、知恵ある者ではないのにそうであると思っていることに外ならないのです。なぜなら、それは知っていないことを知っていると思うことだからです」(二九a)

神に認められたソクラテスの知は、自分の無知を自分で知っていること、無知の知、であった。死についても、それがどういうことであるのか、本当は誰も知らないのだとすれば、悪いこととして決めてかかる考えは、やはり知的に誤っているのである。死は悪しきことであるかも知れないが、また善いことであるのかも知れない。死を恐れ、死を避けるべき積極的な理由はなかったのである。

そして今、神の善意を信ずるソクラテスには、自分の死がむしろ善い、幸福なことと思われている。死とは、次の二つのどちらかであろう、と彼は言う。一つの可能性は、全くの無になることであって、夢ひとつみない熟睡の如きである。もう一つは、この世からあの世へ魂が居場所をかえること、転生である。いずれにしても、死は悪くない。殊に後者の場合には、あの世の人びとの間で、今度は何の憂いもなしに、吟味の生活をまた続けていけることだろう。多少の皮肉と諧謔を交えながら、しかしソクラテスは死をまともに見据えて、その意味を考えようとしているのである。そのさらに徹底した検討は、やがて『パイドン』で行なわれることになるだろう。

だがこの『弁明』でむしろ気になるのは、熟睡した夜より以上に幸せな日々は人生には少ない、というソクラテスのペシミズムであるかもしれない。世俗的な幸福の権化のように考えられたペルシア王さえ例外ではない程に、人生はさまざまな苦悩にみちている。死はその苦しみを解消させるものとして、善きものでありえただろう。しかしまた、ソクラテスの活動自体も、ある意味では、人生の苦悩を深める働きをしていた。前にふれた『饗宴』のアルキビアデスは、ソクラテスとの交際を通じて、このままでは自分は生きるに値しないのではないか、という気持にしばしばさせられたと語るのである（『饗宴』二一六a参照）。生活の吟味は苦しみを誘発することでもあった。善く生きることは、その苦しみを代償としてのみ可能であるだろう。しかし善き生が幸福を意味すべきなら、ソクラテスの吟味活動は、死によってしか救われないのかもしれない人生に、幸福の別の可能性を拓くものだったことになろう。生活の吟味とか、善き生への精進とかはすべて、政治や社会や個人の生き方の現状についての、厳しい認識から出てくることであった。ペシミズムの強さは、善き生の願望の強さに比例していたのである。

▼ソクラテス像

しかし、死が避け難く目前に迫ってきた時、死をまともに見据えて、それの何であるかを検討するというようなソクラテスの心の余裕は、やはりわれわれには一つの驚きであるだろう。そうした余裕がどうして可能であったのか、むろんよくわからない面があるとは言え、ソクラテスの心を支えていたのは、自分が善く生きえたという強い自信ではなかっただろうか。彼は「善き人には生きている間も死んだのちも、悪しきことは何ひとつありはしないのだし、その人の為す事柄が神々の配慮を受けないということもありはしない」（四一d）と語る。善く生きることは死を善いものに変えることでもありえたわけであって、ソクラテスにとって、死は善き生の破壊を意味するものではなかったと言えるだろう。そしてこのことは、前にもふれた、神の善意に対する信頼に基づく考えであることも明らかである。神を信ずることによって、彼はこの考えの真であることも信じることができたのである。

けれどもそれは、死についての知ではない。死について明るい希望をもちえたにしても、それでも、死を知っている者はいないという事実は動かないだろう。信と知の混同がソクラテスにはないのである。既にデルポイの神託やダイモニオンの件で見られたように、ソクラテスの信仰と知性は、むしろ相補的関係にあるかの如きであって、そのことは生と死の問題に関しても例外ではないのである。『弁明』を締め括る次のようなソクラテスの言葉は、信と知のそうしたけじめある関係を適確に表現してはいないだろうか。

「ともあれ、もう立ち去る時がきました。私の方は死ぬために、あなた方は生きるために。しかし我々のどちらがより大きな幸運にめぐまれるか、それは神以外、誰にもはっきりしないのです」（四二a）

ソクラテスの素朴な信仰は、知によって必ず裏づけられていたし、知はまた信仰によって補われている。死を知らないという明確な認識は、彼にとって、絶望を意味するものでは全くなかったのである。

『弁明』を通じてわれわれは、かなり生き生きとしたソクラテスのイメージを得ることができるのではないかと思う。そのイメージに対して恐らくわれわれは、多くの共感と、いささかの戸惑いと、時にはいく分かの反感を抱いたりするだろう。しかし、プラトンの描くソクラテスは、あくまでプラトン的ソクラテスであるのだとすれば、ソクラテスの実像は依然わからないということにもなろう。だが実像との一致の程度はともかく、『弁明』には、プラトンによって生命を与えられたソクラテスの像がある。われわれにとって最も肝要なことは、真のソクラテスが何であったかの詮索ではなくて、むしろ、古典に描かれたソクラテスの姿から、われわれが何を汲みとるかということであろう。ソクラテスの生と死を有意味なものにするのも、無意味なものにするのも、言わばわれわれの考え方次第であり、われわれにまかされたことなのである。古典というもの自体が、本来そのような性質のものだとも言えるであろう。

第2章　クリトン（小沢克彦）

デロス島のライオン・テラス

1　『クリトン』について

『クリトン』の問題

ソクラテスは死刑を宣告され、獄舎へと去って行く。しかし刑はすぐには執行されず、彼は獄舎で一ヵ月を過ごすこととなる。『クリトン』はその獄舎につながれて以来何度か行なわれたであろう脱獄の最後の勧めと、それに対するソクラテスの信念を語ったものである。

しかし『クリトン』は実際にあった裁判に基づいて書かれた『弁明』と違って、たった二人の、それも筆者プラトンではないクリトンという人物とソクラテスとの対話になっている。これは、プラトンが後にクリトンからきいたという可能性もあるが、自分の想像力を自由に駆使して書いたとも考えられよう。実際、『クリトン』での主張と『弁明』での主張の矛盾した点にふれて、『弁明』の中での不遜ともみえるソクラテスを、ここに打ち消そうと弟子プラトンが創作したものだ、と主張する者までいるのである。しかし、いろいろ考えてみても、『弁明』と時をおかずして執筆されたと考えられ、しかも『弁明』を踏まえた状況を背景として書きながら、全く違ったソクラテスを描くというのは、考えにくいことだと言えよう。いずれにしろ、脱獄は実際多くの人びとによって勧められたらしく、それに対してソクラテスが、自分の真意を誠実に語ったということは十分に考えられることである。

ところで、『クリトン』は遵法の精神、すなわち、「悪法もまた法である故、服従せねばならぬ」という主張がテーマになっている、と一般に考えられている。しかしソクラテスは本当に法を悪と知っていてそれに従うような人であったのだろうか。そして、この『クリトン』には「なすべきことについて」という副題が古人によって与えられているが、その〝なすべきこと〟というのは、たとい悪法といえども法である限りそれに従うということを意味しているのであろうか。ともかく『クリトン』の主要部は擬人化された国家と法の主張という形になっている。このことは、〝なすべきこと〟ないし〝正しい行為〟という問題が、国家や法に密接に関係していることを示している。われわれはいかにしても社会を離れてはありえず、社会とはこの場合国家であり、法によって結び合わされているものだからである。こうして『クリトン』は正しい行為と国家・法との関係をテーマに論をすすめていくのである。

▼『クリトン』の構造

さて、『クリトン』は大きく四つの部分に分けることができる。

(1)対話が行なわれる状況の描写（四三a―四四b）
(2)クリトンによる脱獄の勧め（四四b―四六a）
(3)ソクラテスによる行為の原則論（四六b―四九e）
(4)擬人化された国家と法の主張（四九e―五四d）

最後の(4)の部分はさらに、①国家・法と市民の関係についての論（四九e―五二a）、②脱獄した場合のソクラテス批判（五二a―五四b）、③結論的主張（五四b―五四e）とに分けられる。
こうしてみると、まず対話がいかなる状況を背景として語られてくるかが示され、ついで具体的な問題が提起されて、さらにそれについてのソクラテスの原則的な受け止め方が述べられ、その上で具体的に提起された問題についての吟味が行なわれる、という見事な構成になっているのが知られるであろう。プラトンの文才については『パイドン』等を含むいわゆる中期対話篇において際立っていると言われるが、この『クリトン』においても、その構成力、あるいは、国家と法を擬人化してソクラテスに対峙させる手法など、小品ながら充分にその才を見せているのである。

対話が行なわれる状況の描写では三つのことが語られている。第一は、ソクラテスの死刑執行が一ヵ月も延期されたこと。これによって獄舎内での多くの対話が可能となり、『クリトン』もそれによって成立しえたわけだが、その原因は、『パイドン』に詳しく述べられているように、デロス島のアポロンの祭への祭使派遣にあった。すなわち、通常アテナイでは死刑執行は判決後すぐに行なわれるものであったが、この祭使が派遣されている間は汚れを慎み、死刑も執行されない法になっていたのである。『クリトン』は、その祭使派遣船が帰還した（すなわち、ソクラテスの死刑執行が行なわれる）という報せのあったことを設定しているのである。

第二は、ソクラテスとクリトンとの会話を通して、死なねばならぬソクラテスの方はなんら心を乱すことなく以前と同じ態度を保っているのに対し、一方のクリトンの方が心乱れ不眠にまで陥っていることが描かれて、対話者がいかなる心情の下に語ろうとしているかが示されている。ついで、ソクラテスの夢判断がここに語られているわけであるが、これは、死についてのソクラテスの態度を示すものとして注意しておかねばならないであろう。すなわち、前夜ソクラテスは、白衣の美女が現われて「三日目に豊かなプティエの地に着くであろう」と告げる夢を見た。これは『イリアス』の一節で、英雄アキレウスが三日目に故郷プティエに帰れることを言ったものであるが、その故郷というのをソクラテスは〝魂の故郷〟と解し、自分は三日目に魂の故郷へ帰れる――すなわち死ぬ――と理解したのである。この夢判断は、死がソクラテスにとって好ましいものであることを示していると考えられるであろう。

2　常識人クリトンの立場

▼大衆は最大の悪をなす

以上のような背景の下に、クリトンは脱獄を勧めるのであるが、それは次の四つの理由からなされてくる。

(1)脱獄が充分可能なソクラテスを脱獄させなかった場合に立てられるであろう世間の悪評。

(2)脱獄によって友人たちにかかる金銭上の迷惑や脱獄後の生活の心配がないこと。

(3)生命は何よりも大切にすべきであること。

(4)親として子供を養育する義務があり、男らしさを全うすべきこと。

以上の理由のうち(2)は脱獄しても不都合は起きないことの指摘であり、〃なすべき〃という問題に関係しており、(3)は、人間が最も大切にしなければならないものは何かという問題に関係し、(4)は、義務とは何かという問題に関係しており、各々、脱獄すべき理由として語られている。

さて、(1)についてであるが、「友人よりも金銭を大事にした」という世間の悪評によって悪しき目に会うのはクリトン自身である。しかしこれでは、ソクラテスに脱獄を勧める積極的な理由、つまりソクラテスを真に説得できる理由にならないことは言うまでもない。プラトンは、この世間の評判などをクリトンが一番はじめに口にしたことを描くことによって、クリトンの世間体を気にしてものを言わねばならぬ性格と彼が置かれている立場を示しているのである。

しかし、世間を気にしなければならないとするクリトンの立場にも、それなりの理由がある。それは、大衆は噂という手段によって、「ほとんど最大と言っていい悪」をなすことができるからである。事実、ソクラテス告発の遠因は大衆の噂にあったのである。

しかし、その危険を避けるために、正しい行為をも避けるとしたら、それはどういうことなのだろうか。ソクラテスは『弁明』の中で、人間が何か行為をする場合、自分の行為が正しいか否か、優れた人のなすことであるか否かだけを考えるのではなく、それによって悪い噂を立てられ死の危険すら生じはしないかどうか、などということまで考慮に入れねばならないのか、と反問していた。すなわち、彼にとって行為はその〃正しさ〃だけが考慮さるべきであり、大衆の噂など考慮する必要はないというのである。それによってたとい殺されようと、それは正しさを全うしたということで善とこそ言え、死を招いたことで悪と呼ばるべきではあるまい、むしろ、その死を避けるため、正しき行為を中断して逃げてしまうことこそ悪と呼ばるべきだ、と言うのである。だからソクラテスは死の危険があっても『弁明』の例で言えば、レオン拘引事件、一〇将軍の一括裁判事件において徹底して異を唱えたのであった。しかし、そうは言っても、一般論として生命を危険にさらすような行為は避けらるべきであると考えられていることも否定はできまい。そしてクリトンは、この立場に立って説得し続けるのである。

▼生命を粗末にするのは正しくない

前述した(3)の理由に当たるが、クリトンにとって、「助かることもできるのに、自分自身を見棄てる」のは安易で「正しくない」ことなのである。これは『弁明』において、「それでは、ソクラテス、君は恥かしくないのか、君自身にいま死を招くかもしれないような所業を、日常の仕事としたことを」（二八b）と語る大衆的な立場のものである。クリトンにとって、ソクラテスの行動は「敵が君を破滅させようと思って一生懸命になるようなこと、そして実際に一生懸命やってきたことが、自分の身の上に起こるよう一生懸命になる」（四五c）利敵行為に他ならず、男子の歩む道ではなかったのである。

ところで、これらは〃常識的〃な意見である。だがわれわれは、日々の行為・生活を現実的な常識社会の中でなしているのであって、決して理想社会の中にあるようには行為しえない。すなわち、人間の行為・生活には常識によらねばならない面がいかにしてもあるのであり、ある行為が常識に適っているか否かは、その行為が現実に行なわれるか否かを決定してしまうことが多いと言える。それだけに常識論というのは強力であり、正当性を持っているように見え、これを反駁するには大変な労力を必要とするのである。クリトンの脱獄の勧めが、人間は〝何に則って〟行為せねばならぬかの長い論を引き出すのは、この常識論の根強さに対抗するためであったと言えよう。その常識論は、さらに(4)の理由にも現われている。ソクラテスには子供がいたが、クリトンに言わせれば、命長らえてその子供を養育することが可能であるのに、脱獄を拒むというのは、養育をも拒否するのと同じことであり、要するに子供を見捨てることだと言うのである。

さて、以上のように言われる背景には、死刑判決が不当であるという思いがあるのは言うまでもない。そして、敵によって不正に死にさらされている今、それを逃れることにどんな不都合があるのか、むしろ様々な意味でも逃れるべきではないか、という訴えはそれなりに説得力がある。そして実際多くの人びとはそうした危険が察知された時、敵の企ての裏をかいて逃亡したし、アリストテレスですらアテナイを逃げ出しているのである。敵の思う壺にはまらぬこと、生命をむだにしないことは、人として当然の権利であり義務でもあると考えられる。しかしソクラテスは、クリトンに言わせれば、その権利を放棄し、義務を全うしようとしていないということになる。それにはそれ相応の理由がなければならないであろう。

3　哲学者ソクラテスの立場

▼最善だと思えるロゴス

クリトンの論は、行為を選ぶ場合の常識の強力さを示している。それに対してソクラテスは、自分が行為をする場合、何に則って行なうのを常としていたか、これまでの自分の生を律していた原理は何であったか、を示すのである。それが〃常識〃とは異なるものであることは言うまでもない。

その原理というのは、「熟考した上で、自分に最善と思えるロゴスだけに従う」ということであった。ところで、このロゴスというギリシア語は、通常「言葉」とか「言論」とか訳されることが多いが、「根拠」「理法」「道理」、また「理由」「説明」「論証」「定義」「割合」「比」など、要するに全存在・宇宙の理法に関係し、人間の理性・思考活動全体にわたる、広汎な意味を含んだ言葉である。ここのロゴスについても、このような含意を念頭に入れておく必要がある。

さて、これがソクラテスの全行為の原理なのであって、他人の思惑とか時の支配者、あるいは家族等々、総じて常識の挙げてくるものがこれに優先することは決してない。常識が採られる場合があるとすれば、このロゴスに合致した時だけである。要するにこのロゴスは、いかなる行為においても〃よさ〃〃正しさ〃を導き出すものとして、行為原理になっているのである。

ここでソクラテスは次の三つのロゴスを示してくる。

(1)「ひとの思惑（意見）のあるものには意を用いるべきであるが、あるものにはその必要がない」（四六d）

(2)「大切なのはただ生きることではなく、〃よく生きる〃ことである」（四八b）

(3)「その〃よく（生きる）〃とは、〃立派に〃や〃正しく〃と同じことである」（四八b）

(1)のロゴスが教えるのは、丁度スポーツ選手がコーチや医者の意見に耳を傾け、大衆の意見（評判）には意を用いないのが正当であるように、物事には、それについて善い意見と悪い意見とがあり、善い意見というのはそのことについて思慮ある人のものであって、一般大衆のものではない、というものである。ところが、スポーツなどの具体的な事柄とは違って、正・不正、善・悪などについてはこの点が理解されにくい。しかし、人間にとっては、正・不正、善・悪といった事柄こそが最も重大な問題である。それ故、これらについては特に、思慮ある者の意見を重視し、思慮なき大衆の無責任な意見（評判）に応じて正・不正、善・悪を決めるなどという最も重大な誤りを犯さぬようにしなければならない。すなわち、このロゴスの意図は、人間にとっての最も根本的な問題で、一般大衆の見解（常識）に従うことの不当さの指摘にあるのである。

こうしたソクラテスの批判にもかかわらず、常識はなお、一般大衆は人間の根本である生命そのものを左右しうることを主張する。そして、それに対するソクラテスの反論が(2)のロゴスである。

▼よく生きることが最も大切

ところで、大衆がその思惑で人の生命をいとも容易に左右してしまうという見解は、クリトンの主張としてすでに出された。そして、ソクラテスにとっては、死を越えて大切にされねばならぬものがあるとの認識があったことも、先に見た。だが、これは何もソクラテスだけに限ったことではない。彼も『弁明』において、アキレウスなど、死を超えて事を行なった人間の例がたくさんあることを示し、人間には死よりも大切にされねばならぬものがあることを、強く語るのである。その守られねばならぬものを守りえてこそ生は意味あるのであり、それが失われた時、生は無意味となる。その守られねばならぬものが、人によっては名誉であり、また、愛であるかも知れない。しかしいずれにしろ、そうした自分にとって大切なものを守るのがその人にとって真実の生となるのである。ソクラテスの場合、その守られねばならぬものとは、先に示したように〃正しさ〃であった。そして、それを守って生きるのが、〃よく生きる〃ことなのだと言われる。すなわち、ここに(3)のロゴスが示されるのである。

ソクラテス像
（ナポリ国立博物館）

この「よく生きることと立派に生きることと正しく生きることとは同じである」というロゴスの〃よく生きる〃というのは、今みたような意味での真実の生を意味し、生物学的な生を超えた人間としての生を意味している。そして、正しさが問題になるということは、真実の生、よく生きるということが問題になっているのに他ならず、同様、よさの問題とは正しさの問題なのだということも示されていると言えるであろう。こうして、クリトンにとって具体的に提起されている問題、〝脱獄〟が正しいか否かということは、ソクラテスにとって根本的な生にかかわった問題であるということが理解されてくるのである。

ここでソクラテスは、脱獄という行為が孕んでいる問題を明るみに出そうとする。そして、その考察に当たって、土台として次の二つの論が示される。

(1)「いかなる形でも、進んで不正を働いてはならない」(四九a)

(2)「ひとに同意を与えたなら、それが正しいものである限り、実行しなければならない」(四九e)

ところで(1)の論であるが、それは、不正をなすことは、全く無条件的に悪いのか、それとも、不正な目に会わされたような場合には許されるのか、という問題に関わる。そして以前は、いかなることがあろうと、不正は無条件的に悪いと同意されていた、と言っている。この同意を、クリトンは今さらくつがえす論拠もないとして、あっさり認める。だがソクラテスはこれで議論を終わりにしない。何故なら、これは、これからの議論の土台であり、はっきりと確認しておかねばならないからであった。というのも大衆においては、不正には不正をもって仕返す、言葉をかえれば、害悪を受けたら仕返しに害悪を与えることが正当化されているからである。そして、これら二つの見解の間には、対話の可能性すら奪ってしまうほどの溝があるのである。

もっとも、ソクラテスの立場は絶対的な無抵抗主義の立場だと解する必要はないであろう。つまり、ここでは仕返しをするという報復の論理が否定されているのであって、この論は、故意に不正をなすのは無論のこと、仕返しであっても、とにかく不正をなし害悪を与えるのは悪い、という点に力点が置かれていることに注意しなければならない。このことは当然、脱獄という行為が、なんらかの〝仕返し〟になるかも知れないという含みを持ったものである。以上の論に(2)の「同意は守られねばならぬ」という論が加えられ、こうして、ソクラテスは自分の基本的な行為原理を示し、ここから、クリトンによって提起されている問題、脱獄すべきか否かという具体的な問題の吟味に入るのである。

4　国家・法と市民との関係

▼市民は国家と法の子供

さて、ソクラテスのこの吟味は、ソクラテスを脱獄企図者と仮定し、擬人化した国家・法と対話させるという形で描かれている。具体的には、国家と法がソクラテスに説いてきかせるという形になっているが、その内容は、脱獄をするならばそれは国家と法に「不正を働く」ことになる、また、ソクラテスが国家と法に対してなしていた「同意を自ら破る」ことになる、という二つの論からなっている。

国家と法は何故自分たちが害されるというのであろうか。彼らの言い分からすれば、「すでに下された判決がなんの力も持たず、個人の手で無効にされ、破棄されるとしたら、その国家がなお存立し、顚覆しないでいることが可能とでも思っているのか」（五〇b）ということになろう。しかしクリトンの立場で言えば、国家と法の方がソクラテスに不当な行為をしたのだから、今さら彼らに義理立てする必要はない、したがってまた、脱獄しても構わない、ということになる。これは無論、仕返しを認める一般大衆の意見でもある。これに対して国家と法はいかに反論するのであろうか。

まず彼らは、自分たち国家・法と市民との根本的な関係を指摘する。すなわち、市民は当然のこと、ある国家に生まれ、育ち、教育されて一人前の市民となるわけであるが、それにはまず両親が正しく結婚していなければならず、それにはまた、一定の法があり、これに従っていなければならない。また、養育、教育に関しても同様である。そして、これらに不服がなく従っている時、市民は法によって守られて正統の者として生まれることができ、健全に養育され、一人前に教育されることになる。要するに、市民が一人前になることができるのはすべて国家と法のおかげであろうというのである。だとするならば、国家と法は市民にとってまさに親と言うべきことになる。

では、ここで親と言われた法とはいかなる内容のものなのであろうか。さて、通常われわれが法という時、それは議会などで制定された、いわゆる成文法を思うであろう。しかし、その意味内容はもっと広く、国家社会とその生活の全般に亙り秩序を維持するための道徳やしきたりなど、いわゆる慣習法をも含めて考えられることもある。この場合は、言ってみれば社会規範といった内容を持っている。そして成文法というのは、この規範を状況に即して明文化したものなのだと言える。したがって、成文法は〝人為的〟なものであり、場合によっては社会構成員の意図に反して強引に一部権力者によって〝作られて〟しまうこともしばしばあると言える。しかし通常は慣習法を鑑みつつ、社会で認められている規範に則るよう、つまり社会を〝よく正しく〟維持するために、その任にある者によって立法される。その時、真の立法者は規範を通して真の意味での〝よさ・正しさ〟を観ながら立法する。すなわち〝真の意味での法〟を観て、それを典型とした法が立てられることを企図しているのでなければならない。そうでなければ、立法の正しさを可能にする根拠がなくなり、かつ立法者の主観に歪められて、法の生命たる、社会における普遍性・客観性を失う恐れが生ずる。

こうしてわれわれは、法の概念に三つの階層を認めることができるのである。まず第一に、典型となるべき完全な意味での真実の法。第二に、その真の法に〝則っている〟と認められ、現実に、社会を秩序正しく維持していく規範となっている法、第三に、その規範を具体的に状況に即して明文化した法、つまり成文法とである。

では、ソクラテスが市民の親と言った法はどれに当たるであろうか。第三の成文法は時に社会構成員の意図に反することがある故、無条件でこれを指しているとは言えない。むしろ、第二の社会規範（それに則っている限りでの成文法も含めて）と見るのがよいと言えよう。

▼親子の間に対等の正しさはない

さて、国家と法は市民にとって親のごときものと言われたが、親と子の間には正しさの平等（対等）がないように、国家・法と市民の間にも正しさの平等がないということが、そこから出てくる。この意味は、ちょうど親が子を叱り、時に殴ることがあっても、それは子に対して親が当然なしてよいことであって正当な行為と言えるが、逆に、子が親に対してそうすることは許されないし正しいことでもない、つまり同じ権利を持っていない、というものである。とすると、親子の場合には、子が同等の権利のないことをよく承知し、罵倒され、殴られてもじっと我慢しているのに、国家や法がそうした類のことをした時には、我慢をせずに全く同じことを仕返して、それで正当だと思うか、という国家と法の言い分が続いて出てくる。こうして、問題は〝仕返し〟という点にあることが明白になってくるのである。

ところで、以上の論は、仕返しであっても、市民が国家と法に害を加えるのは何よりも悪いと主張しているのであるが、この論は同時に、市民は国家と法には必ず従わねばならぬということも言っている。すなわち、国家が自分を守ってもらうために死を賭して戦場へ赴くことを命じた時にも、それに服従しなければならず、国家を害する者として投獄を命じた時にも、おとなしく従わねばならない、というわけである。しかし、生命や自由をも犠牲にするほどの服従を国家に対して義務づけられている、とここで主張されたということは、実は厄介な問題を引き起こしてしまうのである。というのは、『弁明』において、「たとえ裁判官たるアテナイの人びとが私に対し、哲学の途を捨てろと言ってもそんな命令に従うわけにはいかない。何故ならそれは神によって命じられたことなのだから」というようなことが言われているからである（二九d—e）。これは、法廷の命令なぞきけない、というように受け取れ、やはり国家と法を侮辱し、国家と法は神聖なものでその命令には従わねばならないという、今の主張とは相容れぬように見えるであろう。これについては研究者の間でも議論を呼んでおり、さまざまな解釈がなされている。すなわち、『クリトン』においてプラトンは国家と法に忠実なソクラテスを描いたが、それは『弁明』での不遜とも見えるソクラテスを修正して愛国者ソクラテスを示そうとしたからだ、というような意見。そうではなく、この矛盾は言葉の上、ないし見かけ上のもので、言葉だけを取り出せば矛盾に見えるが、こうしたことが語られている場面とか特定の条件を考慮に入れれば問題にならないというような意見。あるいは『クリトン』は、大衆的な立場に立っている親友を〃説得〃することを目的とした議論なので、そこには方便も使われている、つまり『クリトン』の主張はそのままソクラテスの真意ではないのだ、という意見。あるいはまた、問題は〃害をなす〃という点にあり、命令が害をなす、ないし不正をすることに通ずる場合には、それは拒否されねばならないということで両者は一致しており、ただ『弁明』では拒否そのものが現われているのに対し、『クリトン』では、拒否すべきでない限り国家の命令には従うべきだという言い方をしているにすぎない、等々たくさんの議論がなされているのである。

われわれとしては、そうした意見を参考にしながら、このソクラテスの二つの主張がどんな文脈の中で、どんな具合に、何を意図して語られてきたかを読みとらなければならないであろう。ともかく、こうした問題を念頭に置いた上で、『クリトン』で、脱獄が不正だとされるのは、それが国家と法に対する不正であり、その不正は、子の親に対する〝仕返し〟にもました、非常に不正な〝仕返し〟になる、という文脈で言われていることを了解しておかなければならないであろう。

▼本来の正しさに則った説得

さて、国家と法には従わねばならない、と語られたのであるが、これが無条件に言われているのではないことも指摘しておかねばならない。すなわち、国家に対しては、戦場であると国内であるとを問わず、常に親に対するごとく服従すべきことを述べた後で、「さもない時は、正しさ本来のあるべき姿に則って、国家を説得しなければならない」（五一c）と付け加えているのである。服従か説得かという言い方は二度三度とくりかえされるが、非常に重要な点だと考えられる。つまり、国家と法に対して、〝説得〟すべき場合のあることを主張しているからである。

ここに、国家と法に対する服従にもある〝条件〟の付されていることが明白に読み取れるのであるが、それは、無論、国家の命令が気に入らぬ場合にはいつでも拒否できる権利があるのだ、などということを言ってるわけでは毛頭ない。説得することが許されるのは、国家や法の命令が本来の正しさに〝もとっている〟と思われる場合に限られるのである。しかし、これはやはり、非常に耳目をひく言い方だと言わねばならない。ソクラテスは、国家や法を決して絶対的なものとは見ていないと解せる言葉であろう。ソクラテスが実際に国家や法の説得に当たったか否かの議論は別にして（少なくともあの裁判においてなしたかどうかについては、『クリトン』にそれを示唆する言葉は見当たらない）、説得に当たらねばならぬ場合があると言っていること、そしてそれが「正しさ本来の姿に則って」と言われていることは、国家と法が本来の正しさを失う場合のあることを言っているのである。

だとするなら、国家と法に従わねばならぬ場合とは、国家と法が本来の正しさに則っているとみなされる場合である、ということになるであろう。確かに、国家と法は、人間にとっては敬うべき尊厳なものであるとはいえる。しかし、その命令に従わねばならぬとされるのは、それが尊く偉大な故ではなく、それが、本来の正しさに則っている限りでのことなのである。正しさを見失っている時には、その命令は本来の正しさにもとるものとして反駁され、説得されねばならないのである。ただ、それはあくまで〝説得〟なのであって、〝仕返し〟をしてもよいなどということはどこにも言われていない。なされるべきは〝正しさ〟に基づいた〝説得〟なのである。ここに、ソクラテスの真意が明白に出ており、彼が服従すべきと考えていたものはただの形式的な法ではなく〝正しさ〟であったことが、よく語られているのである。

▼説得さるべき法

ところで、ここで説得さるべき法とは一体いかなる法なのであろうか。先にわれわれは法といっても三つの意味に分けて考えようと述べておいた。しかるに、その第一の法とは、まさに完全・真実に正しい法なのであるから正しさを見失うなどということはなく、正しさそのものと言った方がよい。ということは、説得さるべき法は第二か第三の法ということになる。しかし第二の法とは、ある種族が長い歴史を通して営々ときずいた道徳律、しきたり等を含み、種族の精神ともなっている〃規範〃なのであって、その社会が第一の法たる真の正しさに則っていると認めている法であるから、これが誤りとされることは、社会の根本的改革でもない限りありえないであろう。これに対し、第三の成文法はさらに第二の法に則って、具体的状況に対応して明文化されたものである。したがって状況が変わればその法も変わることが必然であり、それゆえ、機関を設けて法を改めたり新たに立法したりしているのである。しかし、それにもかかわらず、状況の変化にうまく対応できなかったり、一部の人びとの故意によって歪められたりすることもありえよう。ここにいわゆる悪法と呼ばれるものが生ずる所以がある。しかしこれが法として正常でないのは当然であろう。こうして、説得さるべき法というのは第三の成文法を意味しているのであろうと考えられ、その説得の根拠としては第二、いやむしろ究極的に第一の法がもってこられるのだ、ということになるであろう。

すなわち、国家は具体的に議会とか法廷、執政者等を通して市民に命令をしてくるが、その時その命令は法という姿をとったり、あるいはそれを根拠にしてなされるものである。そして命令を受けた市民は、法に従うということでその命令を遂行するが、その場合、その法が第二、第一の法に則っているもの、つまり〃正しい〃ものと考えているのである。しかるに、その国家の命令たる法が仮に一部の人びとによって歪められたものであったら、それは法として正常ではないのだから、たとえ正規の手続きを経て立法されたものであろうと従うべきではなく、第二、第一の法に則って、その法の不正を指摘し改めさせねばならないということになるのである。法解釈の誤謬とか、法の無視など、法の適用における歪みについても同様である。つまり、たとい執政者の命令であっても、それが法をねじ曲げて解釈し、あるいは無視したものであるなら、従うべきではなく、その事実を示して正しき法を取り戻すよう説得に当たらなければならないということになるのである。『弁明』にあるレオン拘引事件、一〇人の将軍裁判におけるソクラテスの態度がその実例である。市民と国家・法との根本的関係の論は以上のことまでを含んでいる。

▼国家・法との同意

ついで、先にみた国家と法の主張の第二、すなわちソクラテスが脱獄するなら、それは国家と法に対して認めていた同意を自ら破ることになるという主張が検討される。これは、同意はそれが正しい限り守られねばならない、という論と関連していることは言うまでもない。

まず国家と法は次の三点を主張する。

(1)市民は国家と法によって、生まれ、養育・教育され、その他のよきものを与えられている。

(2)もし国家と法が気に入らなければ、その人の気に入る国家へ、しかも財産まで持って、出て行く自由を与えている。

(3)以上のことから、この国に残っているということは、そのよきことを享受すると同時に、国家と法に従うという同意の意志表示をしているものとみなされる。

というものである。第一の点は、先の親子関係論にも挙げられていた指摘であったが、ここでは論点が〝享受〟にあるのに注意しなければならない。つまり、そうした〝享受〟に対して国家の命令には従うという同意を与えている、という言わばギブ・アンド・テイクの論がこの論の内容なのである。したがって、ギブ・アンド・テイクの論である限り、ギブされていない、つまりよきことを与えられていないと思えば、それは国から出て行って一向に構わないということになるのであった。しかも、国家は、この同意を強制するのでも、欺いてするのでもなく、また、短時間のうちに決定を迫るのでもないと補足しているのである。こうしてみると、その同意は、市民一人一人の自由意志による選択の結果だ、と見てよいであろう。それだけに、選択の責任は市民一人一人が負うべきものであり、それを破るのは、相手に対する不正もさることながら、自らの責任を放棄するものとして一層罪深い、ということが、この論の背後にあるのである。これは、後に結論部において、脱獄という行為が、国に対してのみならず自らも害することになる、と語られる論拠ともなってくるのである。

▼不正な命令

では、国家との同意の上でそこに残った場合、国家から下される命令が常によいとは限らないが、それでも、同意した以上それには従わねばならない、とこの論は言っているのであろうか。ここでわれわれは再び〃説得〃が現われるのに出会うのである。すなわち、国家の命令は言わば提案であって、やみくもに命じているのではなく、その命令に従うか、あるいは、間違いがあるといって説いてきかせるかは、市民の選択に任せている、と言うのである。先に見たところでは、同意には二つの内容があった。一つは国家と法には従うということであるが、いま一つは、もしその命ずるところに誤りがあったら、それを指摘して説いて聞かせること、というのであった。このように〃説得〃が二度、三度とくり返されてくるのは、国家と法は〃正しく〃なければならず、〃正しさ〃にもとっている時はそれを取り戻さなければならない、そして、その限りにおいてのみ国家と法はその名に値し、服従を要求できるのであって、そうでなければ、市民は服従せずに、むしろ説得して誤りを正さなければならない——こういうことを強調するためであると考えられる。

こうして、市民が国を出ることもせず、国家や法に対して説得にも当たらないということは、その国家と法を、社会規範は無論成文法も、〃正しさ〃に則っていると認め、自分にとって〃よい〃とみなし、それがもたらす利益を享受しているという以外の何物でもない。そうであるなら、ギブ・アンド・テイクの同意によって、国家と法には、時に身の危険があっても服従しなければならないということになる。

かくて問題は、果たしてソクラテスがこの同意をしていたかどうかということになり、国家と法の言はソクラテス個人に向けられる。ここで国家と法が挙げるのはソクラテスのアテナイに対する執着であった。ソクラテスが容易に国外へ出なかったことはさまざまのところで言われている。何故そんなにもアテナイに固執したのであろうか。ここで『弁明』における、アテナイを馬に、そして自分をそれにまとわりつくアブにたとえた言を思い出すべきであろう。そこでは、ソクラテスはアテナイに神によって付着させられた、という言い方をしている。さらにこの言い方は、自分はアテナイに対する神からの贈り物であるとか、自分はまさしく神によってこの国に遣わされた、等々の表現で何度もくり返されている。しかし、これらの言は、アテナイという国を認め、この地において生を送る以外に自分の生はないことを認めているに他ならない。『クリトン』において国家と法が指摘するのは、ソクラテスが他国に無関心であったことやこの国で子供を産んだことなどであるが、これは説得の相手が常識人クリトンだからで、本音としては、このアテナイで哲学の途を歩むことこそ神の命令なのだ、というところに理由があるのであろう。

かくして、同意論は、ソクラテスは国家と法の命令に服従するとの同意を誰よりもしていたのであり、したがってその同意を破るのは何よりも悪いことになる、という結論を示すのである。

▼**合法的な国外脱出**

論はここから、ソクラテスにとって国外へ脱出することは、これまでの言動からみて、どのような意味があるか、という問題に移る。そしてそれは三つの視点から考察される。(1)死刑判決をされた法廷での言動。(2)脱獄して国外にあるソクラテスの姿、(3)子供の養育という問題、であるが、重要なのは(1)の論である。

さて、あの法廷でソクラテスは「……そういうことであれば、国外追放を申し出ることにしようか。というのは、諸君もおそらく、この罰を私に裁定することだろうから」(三七c)と言っていた。すなわち、ソクラテスがもし国外追放を申し出たら、それは受け入れられ、合法的に国外へ出ることができたのである。しかしソクラテスはそうしなかった。ということは、死刑を求刑されていたにもかかわらず、それを免れる可能性を放棄したということであり、『クリトン』の言い方では「自分から主張して国外追放よりむしろ死刑を選んだ」(五二c)ことになってしまうのである。では何故国外追放を申し出なかったのか。それは『弁明』の次の言葉のうちにはっきりとあらわれている。

「こう言う人があるかもしれない、〈追放になった以上は、どうか沈黙を守り、じっと静かに生きて行ってはもらえまいか〉と。だがこの点こそ、諸君の誰かに納得してもらうのがなによりも困難なのである。なぜなら、それは神の言葉に従わないことであるから」(三七e)。

国外へ出て行くことは、アテナイで哲学の途にたずさわるのがいけないとされて出て行くことなのである。事柄にもよるが、アテナイでだめなものが他国ではよいということはありえない。したがってそれは、神によって命ぜられた哲学の途を止めることでなければならない。それで彼は国外追放を申し出なかったのである。一方でこのことは、ある意味で法廷の正しさを認めることにもなる。『弁明』でも見られるように、当時の裁判制度では、原告の求刑に対して、それが適当と思えない場合、被告も相当と思える刑を申し出ることができた。それでソクラテスは、自分にふさわしいこととして栄誉あるプリュタネイオンでの食事を申し出、それが受け入れられないならば、自分にとってなんらの意味ももたない銀一ムナの没収がしかるべし、と申し出たのである。ところで、彼がこの相互求刑の法を正しさにもとるとして認めていなかったらどうであったろうか。あるいは、この裁判で運用されてきた法のどれかを認めていなかったとしたらどうであったろう。おそらく彼はその時点でその法の不当さを指摘したことであろうし、あるいは運用の仕方の誤りを指摘したであろう。そして、改められなかったなら、レオン拘引事件の時のように、文字通り生命をかけて説得に当たったことであろう。しかしそうしたことは一切なされず、求刑でも、上のような自分にふさわしい刑(?)を求めたのであった。すなわちソクラテスは、告訴の内容はいざ知らず、裁判のあり方、裁判にかかわる法そのものは正しいと認めていたとみなさざるをえないのである。こういう背景があるからこそ、実際は不当に死刑が判決された(つまり事実誤認によって)にもかかわらず、法そのものとその運用は認めるという意味で、死刑という判決を〃受け止め〃また生命の助かる刑を求めなかったという点で、死刑を〃選んだ〃という言葉が使われているのである。実際、ソクラテスはあの判決に対してうらんでも悲しんでもいない。何故なら、そういう結果になったのも、自分が正しいと認めた法に対する服従の同意と責任を背景にもっていたからである。それ故、今脱獄することは、その同意と責任に対する裏切りとなり、最も卑しい行為になるのである。

5　国家と法による結語

▼法は不正ではない

以上のように、国家と法の主張は、まず市民と国家・法との関係から、ついで(ここでは前節の最後で少し触れただけだが)ソクラテスの言動・生活の面から、それぞれソクラテスの脱獄の不当性を語った。こうして彼らは結論的な言葉を述べる。

さて、市民と国家・法との関係の論は、親子関係論、同意関係論ともに、市民が国家と法に服従するのは、その国家と法が〃正しい〃からであるという含意を背景においていた。問題は〃正しさ〃にあった。国家と法は、(1)それが正しくある限りで、服従を要求できるのであり、(2)正しくない時には、説得によって正しさを取り戻さねばならない、ものであった。そうしたものであるから、脱獄という行為は、国家と法に対して、(イ)正しいのにそれに従わないか、あるいは(ロ)不正を説得によって改めさせてもいない、ということになり、いずれにしろ国家への不正行為というこ とになるのである。実際、脱獄に対しては、クリトンが挙げたように、生命とか子供の養育の義務とかさまざまの理由を挙げて勧めることができる。そして脱獄するか否かの決定は、それらの理由が自分にとって真に大切だと思うか否かにかかっているのである。しかし、ソクラテスにとって最も大切なことは〃正しさ〃であり、法を〃正しい〃と認めたればこそ、ソクラテスはそれに従ったのである。

ところで、本章のはじめで述べたように、よく、ソクラテスは悪法も法なりという遵法の精神に従って毒杯をあおいだ、と言われる。もし上に述べたように、法に不正がなく、それで法に従ったのだとすると、通説との間に矛盾が生ずる。では、悪法といえども法なのだから従うべしという解釈はどこから生じたのであろうか。恐らくは、先の親子関係論において、市民は国家と法には〃本来的に〃服従せねばならぬ、と語られたことと、同意関係論において、市民は国家と法に服従する〃同意〃をなしている、と語られたことの二点に求められよう。しかし、これらから「悪法であっても云々」という遵法の主張を読むのは、誤解と言えよう。すなわち、最も重要な〃正しさ〃と〃説得〃という概念を見落としているのである。

実際、われわれの法の分類における第三の法、つまり成文法の段階で〃悪法〃が現われる可能性はあろう。しかしソクラテスに言わせれば、これは不正を指摘され説得されねばならぬものとして、法としては完全ではないのである。断定的な言い方が許されるなら、悪法はまだ法とは言えないのであり、説得によって改められ、正しさを取り戻してはじめて法の名に値するのである。すなわち、第一の法だけが真実の意味で法という名を持ち、第二、第三はそれに則る限りにおいて、第一の法に〃準じて〃法と呼ばれるのだと言ってもよい。したがって、たとい正当な手続きで立法され、形式的には法とされるものであっても、第一の法に則っていない、つまり〃正しくない〟ならば、それは法とは言えないのである。しかし、人は立法機関で立てられたという〝形式〟によってそれを〝法〟と呼んでしまう。ここに混乱が生ずる理由がある。だが、ソクラテスは、そのような〝形式〟ではなく、その〝内容〟に即して法を語っているのだということに注意しなければならないのである。

▼不正を働いたのは人間

ではソクラテスはどうして刑死することになったのだろうか。法の言い方では「人間たちに不正な目に会わされて」ということであった。

ソクラテスの死刑判決に至る経過は『弁明』が詳しく語っている。それによると、メレトスたちの告訴の他に、世間の噂という告発状もあったのであるが、ソクラテスは、それらに対する弁明をさまざまな観点から展開しながら、この間、一度も法やその運用に対して不満を示していないのである。となると、どうやら問題は告訴内容と裁判官の判断とにある、ということが了解されてくるであろう。

その噂が如何なるものであり、告訴にどのような力があったかは『弁明』に詳しいが、そこには明らかに〝事実の誤認〟と曲解があったのは確かであろう。そうした無責任な噂を流した人びとは非難さるべきであろう。だが、この噂を利用してソクラテスを抹消しようと企てたメレトスたちは、動機はどうあれより非難さるべきであろう。しかし最も非難さるべきは、ソクラテスの弁明から真相を読みとれなかった裁判官たちかも知れない。すなわち、正しかるべき法の名によって誤った判決を下したからである。

このような誤ちは、世の裁判官にあって多かれ少なかれ避けえないことかも知れないが、〝正しさ〟に照らして見れば、とにかく不正を行なったことには変わりがない。それゆえソクラテスも、法によってとは言わず、「諸君によって死の刑罰を負わされ……」(『弁明』三九六)と言っているのである。また、彼らを〝自称裁判官〟と呼び、かの世にいる本物の裁判官と区別するのも同じ理由によるのであろう。つまり、ソクラテスにとって、不正を加えたのは法ではなく、彼と同じ人間だったのである。

▼ハデスの法

国家と法による結びの言葉はもう一つある。それは、人間によって不正な目に会わされたのに、それを法のせいにして脱獄するなら、われわれ法の兄弟たるハデス(冥界)の法も好意を持つことはない、というものである。しかし何故、かの地の法などが、この結論のところで言及されるのであろうか。

この点については、当時の思想界で活躍していたソフィストのノモス(法・慣習)観を考えるべきであろう。ソフィストの相対論とその展開、およびこれに対するソクラテスの位置づけについては、すでに序章の「ソフィスト」と「人間尺度説」の項で概略が述べられている。つまり、ソフィストの相対主義とそれがもたらした弊害から国家社会を救うために、ソクラテスはノモスの世界に根拠を与えようとしたのであり、それが『クリトン』では、成文法や社会規範の上に立つ〝真の法〟として示されたのである。それは当然、現実界にある成文法などを越えたところに求められるべきものであり、それがここでは、〝この地〟の法に対比される〝かの地〟の法、つまりハデスの法と称されているのである。この二つがここで対比されているということは、決してこの地の法が人間によって勝手に立てられることを意味するのではない、むしろ、この地にはないがどこかにあらねばならぬ完全な正しさ、真の法に則って立てらるべきであることを暗示しているのである。実に、『クリトン』のソクラテスが死を賭して守ろうとし、絶対服従を誓っていたのは、このような法であり正しさだったのである。

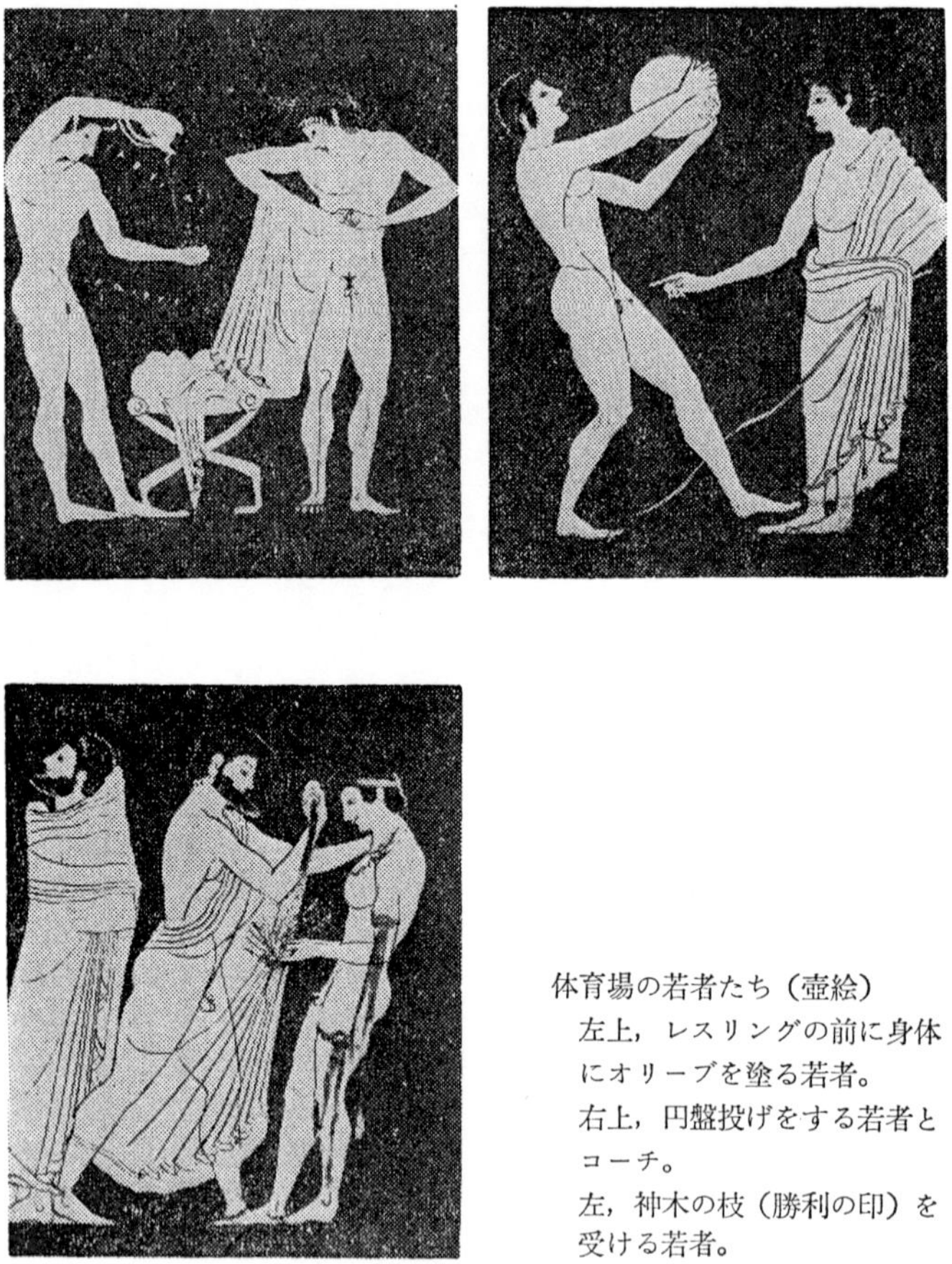

体育場の若者たち（壺絵）
左上，レスリングの前に身体にオリーブを塗る若者。
右上，円盤投げをする若者とコーチ。
左，神木の枝（勝利の印）を受ける若者。

第3章　パイドン

（戸塚七郎）

ディオニュソス（右）とシレノス（左）

1　はじめに

▼副題「魂について」

プラトンの対話篇には、『弁明』と『書簡集』を除き、われわれが呼び慣わしている題名の他に副題がつけられている。後三世紀の誌家ディオゲネス・ラエルティオスはその『著名な哲学者の生涯と教説』の中で、プラトンの著書には、主な対話者の名に因んだ標題とテーマに因んだ標題の二つがつけられているとし、その伝統を遡ってトラシュロスに求めているかのごとくであるが（Ⅲ・五七―八）、対話篇を副題で呼ぶ伝統はもっと古く、すでにプラトン自身に求めることができる。『パイドン』について言えば、第一三書簡にそれへの言及が見られ、これによって、副題が「魂について」であったことが知られるのである。つまり、『パイドン』のテーマは魂を論ずることにある、と言える。

一方、『パイドン』では死の問題が大きく取り上げられていることも明らかである。ソクラテスの死刑当日という設定は別にしても、その内容には、死を歓迎するソクラテスの弁明があるし、白鳥の歌声と類比される死の讃美も歌われている。クレオンブロトスなる人物は、この本の教えに従い、市の城壁から海へ身を投じて死んだ、と伝えられているが（キケロ『トゥスクルム談義』Ⅰ・三四、八四）、それほどに、この書をよく理解できぬ者には、それが死への誘いの印象を与えたことも否定できないようである。

これら二つの側面は一見結びつきがないようであるが、序章でも述べたように、死の美化のごとくに見える主張も、結局は、よく生きること、真の知を求めて生きることへの、すなわち哲学への勧めなのであって、その文脈で魂を気遣うことの必要が述べられているのである。つまり、哲学により魂が浄められ、肉体から解放されて、それ本来のあり方に戻るところに、本書の一貫した主題がある。死後の世界のミュートス（物語）が語られたり、転生の神秘的教説が背景に現われたりしてはいるが、これらミュートスに論証の衣をきせるような姑息なことを意図するものではないのである。

▼作品形式と舞台設定

この作品を一見すると、『弁明』や『クリトン』と構成の形式が全く違うことにすぐ気づくであろう。『弁明』はその性格上当然のこととしても、『クリトン』は、一言の情景描写も導入部もなしに、冒頭から会話に入っている。この形式は、この時期の作品の特徴ともなっているのである。ところが『パイドン』は、形の上では会話で始まるとはいえ、序幕部に当たるものがあり、それが本題であるソクラテスと弟子たちの対話への導入役を果たしている。つまり、登場人物の一人パイドンが、自分をも含めた弟子たちとソクラテスとの対話の様子や内容を、他の者に話して聞かせるという形式をとっているのである。このような報告形式は『パイドン』と年代的に近い作品に見られる特徴である。たとえば『饗宴』がそうであるし、報告者がソクラテス自身である例としては『国家』がそうである。プラトンは、この形式をとることにより、情景や思想背景を説明し、本題に入る伏線を巧みに用意しているのである。

この作品はエケクラテスとパイドンの二人(他に無言の聴衆多数)の会話で始まる。場所はペロポンネソス半島北東部にある谷間の小都市プレイウスである。この地を舞台に選んだ理由は、報告者パイドンが半島の北西部エリスの出身であり、アテナイでソクラテスの臨終に立ち合った後、帰国の途中にこの地を通過する、という地理的条件もあろうが、なによりも、この土地がピュタゴラス派と縁が深いということにあろう。言い伝えでは、この地には、上記エケクラテスを初め、数名の「最後のピュタゴラス派」の人びとがいたのである。これらの人びとはピロラオスとエウリュトスの弟子であったと言われる。恐らくは、ピュタゴラス派に対する迫害を逃れて故郷に帰り、そこでピュタゴラス的生活を送っていたものであろう。また、ピュタゴラス伝説の一つに、彼が生活の三つの型をオリュンピア祭に参加する人びとになぞらえ、哲学者(philosophos)という当時聞き慣れない言葉を説明したというのがあるが、その説明相手がこの地の僭主レオンであった、という奇しき因縁も見られる。

では、ピュタゴラス派との関わりを意図的に出しているとすると、このことは本題とどう関係してくるのであろうか。これは、その背景に考えられる思想に注目すればすぐ気づくことである。すなわち、テーマである魂の不死を扱う場合、どうしても避けて通れないものとして、オルペウス教―ピュタゴラス派に見られる魂の不死と転生の思想がある。プラトンも、採る採らぬは別として、しばしばこれに言及しているのである。とすれば、ピュタゴラス派ゆかりのプレイウスを舞台にして、死を目前に、死と哲学の問題を取りあげ、魂の不死を論じたソクラテスを語るのは、設定としてはなかなか適切と言うべきであろう。

同じ配慮は対話人物の選定にも見られる。ソクラテスの対話相手を勤めるテバイ出身の哲学青年シミアスとケベスも、ピロラオスがテバイに難を避けた時にその教えを受けた者たちで、やはりピュタゴラス派にゆかりの深い人物である。この二人は、ソクラテスに代わって罰金を支払う用意をしてテバイから出て来たと言われるし（『クリトン』四五b）、臨終に立ち合ったという事実からも分かるように、ソクラテスの熱心な信奉者でもあった。それゆえ、ピュタゴラス派の思想にも通じていれば、ソクラテスの哲学も熟知しており、対話相手としては巧みな人選であった。しかも、シミアスには、自分から話をするにも、他人の話を引き出すにも長けているという才能がありあ（『パイドロス』二四二a―b）、またケベスは、「いつも議論の糸口をみつけてくる」（六三a）とか、「ひとの説を頭から信じてしまわないことでは、この世で最も頑固」（七七a）と表現されているように、議論熱心である上、論理の上で妥協するということのない人物である。『パイドン』のように、死とか神の配慮とか死後の魂など、直接明らかでないことがらを論ずる場合、ややもするとミュートスに安んじ、充分な論理的吟味なしで済ませる傾向がある。したがって、この二人を選んだことは、淀みなくかつ充分に議論を展開していく上で、適切な配役であったと言うべきであろう。

▼魂の不死と転生の説——その歴史的背景

舞台設定上、ピュタゴラス派を通じて転生説を背景に見立てているのであれば、予備知識として、その思想に簡単に触れておくべきであろう。

ギリシア人の信仰を古くから支え、教典の役割を果たしてきたのは、ホメロスによる神々の物語であった。これに拠って、きわめて現世的で明るい儀礼宗教が行なわれていたのである。現世肯定的であるから、当然、死後の世界は積極的な意味を持たず、魂も単独では存在性を認められていなかった。肉体という、しっかと摑み、触れて確かめうる物体につなぎとめられていない魂は、影のごときもの（亡霊）となり、風の強い日には飛び散ってなくなる、と信じられていたのである。

だが、前八世紀になると、この明るい宗教と併行的に、予言や浄めの業を主とする宗教が出現し、前六世紀には、従来のギリシア的信仰とは異なる宗教が誕生するに至る。その中で有名なものに、デメテルを主神とするエレウシスの祭りがある。これも農民信仰に起源を持ち、蘇りを期待する秘儀宗教であるが、『パイドン』で重要な役割を演じているのは、ディオニュソス信仰に始まり、詩人オルペウスに対する啓示を教義として組織されたオルペウス教の思想である。

酒神ディオニュソスの祭りも農民信仰に基づき、北方トラキアで生まれたが、その原形は、暗夜に山上で犠牲《いけにえ》の生血をすすり、炬火をかざして踊り狂ううちに聖なる狂乱にとりつかれ、忘我(ekstasis)の境地で神の不死なる生に与る、という野蛮なものであった。この祭りも、前七世紀

ディオニュソス（壺絵）

以降、オルペウス教団を経てギリシアに根を下ろすようになると、野性味は失われ、教義を中心とした宗教となってくるが、その信仰内容は、不変のまま、ギリシア宗教および思想に大きな影響を与えたのである。その中で重要なのは、魂についての新しい考え方である。

これまでの信仰は現世肯定的であったが、オルペウス教によって一八〇度の転換がなされ、肉体と結びついた現実の生よりも、魂だけの生にむしろ価値が求められるようになる。現世は来たるべき死後の、すなわち魂の生活に影響があるという、副次的な意味を持つにすぎなくなる。この立場では、魂が肉体に宿ることは魂に手枷足枷をかけ、その働きを束縛することである。これが、魂にとって肉体は墓場（sōma sēma）、という思想である。魂は本来不滅なるもので、神的な生活を送っていたのである。だが、一度肉体に汚された以上、償いとして次々に肉体を遍歴し、転生して、幽囚の生を続けざるをえない定めを負っている。そこで、この「必然の環」あるいは「運命の車輪」を離脱し、一刻も早く魂だけの生に戻るために、教団の定める戒律生活を送り、汚れを浄めることが要求されるのである。

『パイドン』では、「古くからの説」という但書つきで、しばしば蘇りの思想が引合いに出されるが、それはこの魂の輪廻転生の説である。もっとも、そこで直接対象としているのはピュタゴラス派であり、そしてピュタゴラス派は、主神としてアポロンを祀り、浄めとして理論的研究を採用するなど、オルペウス教との違いが認められはする。だが、魂の問題に関する限りでは、両者全く同じ思想の上に立っていると言ってよい。『パイドン』の議論を追う場合には、このような思想背景を念頭において読んでいくべきであろう。

▼導入部――情景と夢の解釈

『パイドン』の舞台となっているのは前三九九年の春、ソクラテスの死刑執行当日、場所は牢獄である。最後の面会とあって、友人たちは早朝から集まってくる。ただし、プラトンは病気のため姿を見せていない。この者たちは心からソクラテスを敬愛し、師と仰いでいる者ばかりである。牢獄のソクラテスを訪ねることは、裁判以来、彼らの日課のようになっていたのであるが、刑の執行が今日とわかって、いつもと違う雰囲気が漂っている。

彼らが牢内に入ると、足枷を外されたばかりのソクラテスと、傍らに子供を抱いて嘆き悲しむクサンティッペの姿があった。彼らを見ると、ソクラテスはクリトンに頼んで、泣き伏しているクサンティッペを外に連れ出させ、いつもと変わらぬ様子で、若い友人たちと語り始める。

話題は足枷から解放された時のソクラテスの体験で、ここから快と苦の奇妙とも見える相関性に触れ、「二つ揃って同時に人間に備わろうとはしないくせに、その一方を追いかけてつかまえると、必ずといっていいくらい、いつでももう一方のものまでつかまえてしまう……まるで、二つではあっても一つの頭でつながっているようなものなのだ。そこで思うのだが、もしアイソポス〔イソップ〕がそのことに気がついていたら、これを物語にしたことだろう……」（六〇b―c）と語る。

この話を聞いていたケベスが、アイソポスの物語ということで、かねて詩人エウエノスに尋ねられていたことを想い出し、ソクラテスに質問する。それは、ソクラテスが獄中でアポロン讃歌を作ったり、アイソポスの寓話を詩に改めたりした理由は何か、というものである。このようなことはこれまでのソクラテスにはなかったことで、その噂を耳にして人びとは不審に思っていたのである。これが導火線となって、本題の議論へと発展していくのであるが、まず、この質問に対するソクラテスの答えを見てみよう。

アポロン像（バチカン美術館）

ソクラテスが夢のお告げを信じたことにはすでに触れた。そして、世の人びとと違い、それを鵜呑みにするのではなく、内的反省を繰り返し、その時々で最善と思われる解釈を下していたことも述べた。ケベスの質問も、実は夢のお告げに関わっているのである。

ソクラテスにはこれまで、幾度となく夢のお告げがあり、姿こそ異なれ、いつも同じことを勧めていた。それは「ソクラテスよ、ムーシケーを作り、それを業とせよ」というものである。ムーシケー（mūsikē）とは、もともとムーサ（ミューズ）たちの技芸のことで、広くは歌舞、文芸、学問のすべてを包括し、特に狭い意味で音楽を指していたのである。

裁判前のソクラテスは、真の知を求める営み、すなわち哲学こそ最高のムーシケーであると解し、このお告げを「哲学への勧め」であるとして、それに専念していた。ところが裁判が終わってみると、たまたまアポロン神の祭りのため、刑の執行が一ヵ月延期になった。アポロンは、自らも医学や音楽を初め諸技術に長じ、かつムーサたちを支配する神であったのである。自分をアポロンの使徒と考えるソクラテスにとって、この偶然の出来事はまた一つ反省を促すことになる。〝これまで自分はひたすら哲学の中に生きてきた。これは自分にとって、神によって配置された、生命を賭して守るべき部署である。ところが、死を迎えんとし、哲学の完成が約束されている今になって、アポロン神はなぜかそれを押し止めた。何故であろうか。一方、夢のお告げは今のこの状態になっても同じである。自分のこれまでの解釈は完全だったのだろうか〟。そして、反省の繰返しから、〝人びとが言うムーシケーをも作らなければ、命じられた仕事を半分しか果たさぬまま終わることになるのであろう、それで神が阻止されたに違いない〟という結論に達した。この解釈に従って、ソクラテスは慣れぬ詩作に取り組んだのである。これは、かの地に旅立つソクラテスにとり、この世の責めを果たし、浄めを完全にすることであった。

以上の説明をした後で、ソクラテスは、「分別があるなら、できるだけ早く自分の後を追ってくるように」とエウエノスへの別れの言葉をケベスに託すのであるが、この言葉が、哲学者と死の問題、さらには魂の不死の問題へと発展する糸口をなすのである。

▼自殺の禁止

エウエノスへの伝言の意味を説明する際、ソクラテスは次の二つの限定を付している。すなわち、一つは、上の分別ある者が哲学者と置き換えられること、そして第二は、自殺が除外されること、である。したがって、ソクラテスの説明には二つの一見相容れない主張が含まれることになる。つまり、真の哲学者なら死に行く者の後を一刻も早く追う、すなわち一刻も早い死を求める、と主張する一方で、「ただし、自らその生命を断つことは許されない」と自殺の禁止をしているのである。ここで言う「許されない」とは、法的に禁止されているということではなく、神の嘉し給わぬこと、つまり敬神的でないという意味である。これは、文字通り受けとれば、矛盾した主張である。それはソクラテスも気づいていたと思われる。

「ほかの一切のことをさしおいて、このことだけは無条件で認められるとしたら、つまり、人間にとっては死のほうが生よりもよいことであるということは、その他の場合に見られるような、時により人によってという条件が全くつかないのだとしたら、だが一方では、死んでいるほうがよいはずの人間にとって、自分の手でそのよいことを自分に施すのは敬神的ではなく、他のものがその恩恵者として現われるのを待たねばならない、としたら――これは恐らく、君には奇異なことに思えるだろう」（六二a）

ところで、二つの主張のうち、「哲学者は死を求める」という命題が無条件で真とされている点に注目すべきである。ソクラテスにとって、これは哲学の基本命題だったのである。とすれば、二つの主張の脈絡が問題であるのなら、第二の自殺禁止の主張について、その意味するところが検討されねばならぬことになろう。そしてソクラテスもこの点に力を入れているのである。ただし、その説明は、ソクラテス自身も断わっているように、他人の説に拠ったものである。「なにか深奥で読みとることの容易ならざる」秘儀的な教説と表現され、また、その前後でしばしばピロラオスの名に言及されているところからすると、まずピュタゴラス派の説を予想するのが自然であろう。だが、これに関連する思想が『クラテュロス』ではオルペウス教の名の下で述べられているところを見ると（四〇〇c）、両派に共通した思想を典拠にしたと考えたほうがよいようである。

その教説は「われわれ人間は一種の囲いの中に入れられた存在で、これから逃れることは許されていない」と教える。この説自体は、もちろん、ソクラテスにとってはミュートスにすぎないであろう。その真意を理解することは困難であると言ったのも、それがロゴスではないことを婉曲に示したものと思われる。だが、ミュートスではあっても、そこに、ごく自然に受け容れることのできる主張が含まれているのを、ソクラテスは見てとったのである。それは、人間は神の家畜であり、その世話をし、なにかと配慮するのは、神であって人間自身ではない、というものである。人間を神やダイモンの家畜とする思想は、プラトンの他の作品（たとえば『クリティアス』、

『法律』など）にもしばしば見られるが、これは、人間存在はいかにしても神の配慮の外に出ることのできないもので、生も死も神の掌の中にある、という風に解してよいであろう。ただしそれは、ソクラテスにあっては、一切を神に委ねようとする諦めとか権威にすがることとかを意味するのではなくて、人間の思い上りを戒め、神を真の尺度として立て、これを典型に生きようとする、ソクラテスの敬神を表わすもの、と見るべきである。したがって、彼の合理的側面がこれによって失われる訳では決してない。

人間を神の家畜と見なすことが許されるなら、自殺の禁止は当然のことである。自分の所有する家畜が無断で自殺することは、飼主にとって不快なことであるように、神が運命の必然を与えぬうちにその配慮に反して自殺するということは、神への冒瀆になるからである。かくて、先の二つの主張は一つの脈絡を生むことになる。すなわち、「哲学者は一刻も早い死を求めるべきである。しかし、死は神の下し給う運命によらなければならない。したがって、哲学者のなすべきことは、常々死に備えていることである」。そしてここから「哲学は死の練習である」という命題が生まれるのである。ただし、序章でも述べたように、これを単なる彼岸への憧れと解してはなるまい。哲学をするのはこのわれわれ人間であり、われわれを離れて哲学があるのではない。それは、人間という肉体を備えた存在が、その制約の中にあって、その制約から解放されてあることを求めることであり、現実の生と死（あるいは彼岸の生）とを、肉体（物体）に関わる存在とそれを離れた存在とを、常に一つの視野に収めつつ生きることだ、と言えよう。そして、これら二つの存在を一つの関係において把握しうるのは、魂（知性）をおいてはないのである。

2　ソクラテスの死の弁明

▼弁明の必要

以上で、哲学者が死を求めることと自殺禁止の関係は、一応の説明を見た。しかし、自殺禁止の説明が、今度は「哲学者はすすんで死を求める」という主張を危うくすることになる。つまり、人間が神の管理下にある家畜だとするなら、死によって神という最善の監督者の許を去ることは、嘆きこそすれ、悦ぶべきことではない、それを、哲学者という思慮分別のある者が悦ぶのは理に合わぬことである、むしろ、思慮あるがゆえに、哲学者は死を、すなわち優れた監督者の許を離れることを、嘆き悲しむべきではないか、という疑問が生ずるのである。これは反論であると同時に、逃亡の勧めを断わって、進んで死の道を選んだソクラテスに対し、弟子たちが切ない気持をぶつけている姿でもあろう。

これに対しソクラテスは、死を悦ぶ理由として、死後の世界に希望があることを挙げる。すなわち、かの世界にも、この世を管理している神とは別に、やはり優れた神が監督しているし、さらに、今はなき優れた人びとが待ち受けていてくれる期待がある、というのである。優れた死者の許へ行けるという期待は、『弁明』でも、裁判官への訣別の辞の中で述べられたことである（四

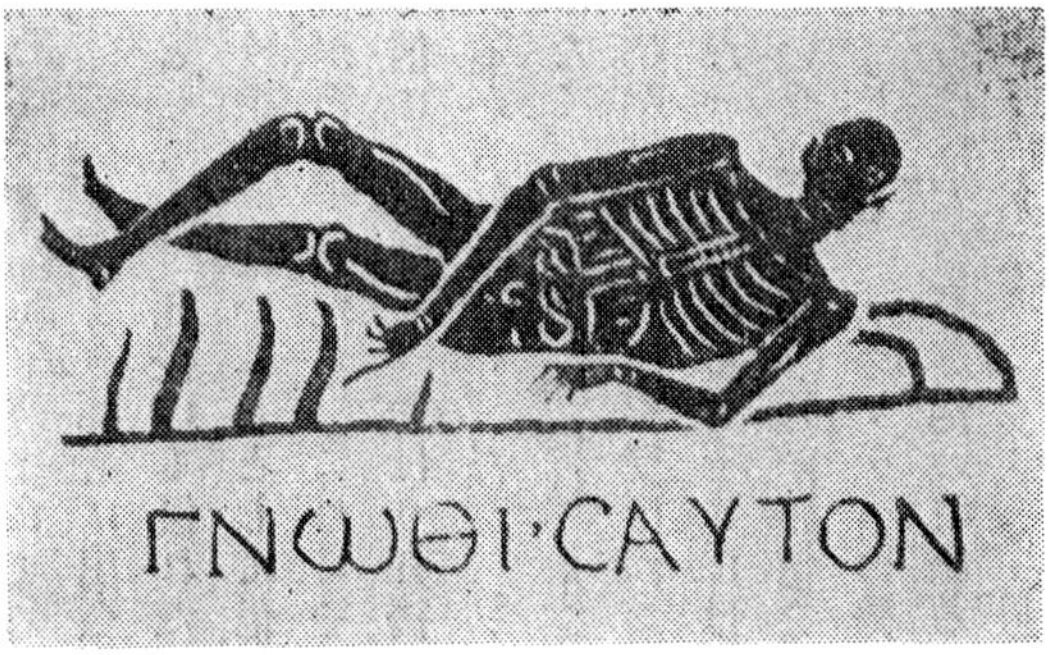

ローマ国立博物館にあるモザイク画。下にデルポイの神殿入口に掲げられた「汝自身を知れ」という箴言が記されている。

○e―四一c)。

ところで、この期待の中では、死後の世界の存在が、あたかも確定したことのように扱われているのに気づくであろう。しかしその点は、魂の不死と共にこれから後に証明されることであり、それまではミュートスの域を出ていないのである。ソクラテスがオルペウス教―ピュタゴラス派のミュートスを信じ、心からそのような期待を抱いていたかどうかは疑問である。もしそうなら、「死を知っている人間はいない」(『弁明』二九a)という命題に反することになる。徒らに死を恐れるのは、知ってもいない死後の世界を知っているものと思い込む誤りを犯していることになるが、誤るという点では、期待するのも同じだからである。つまり、『弁明』における死後への期待は、かりに「人びとの口にのぼっている物語」、すなわち転生説に立った場合として語られたもの、と考えるべきであろう。それゆえに、「この物語が真実であるなら」という条件をいく度も繰り返すことを忘れないのである。また『パイドン』のこの箇所で、「このことについては、私はあまり確たる断定はできない」と断わっているのも、同じ理由によるのであろう。

しかし、よき死者に出会うことをミュートスとし、たかだか重い心を軽くする工夫にすぎないとしても、死後にも優れた神の支配があり、その配慮の下に置かれるということだけは、全く疑う余地のないこととして信じられている。これについては、死後の世界に関して断定できるものがあるとしたら、これこそがそうである、と強い確信を示しているのである。もっとも、この確信についても、やはり死後の世界を確定したものと見、応報のミュートスが覗いている、と言えるかも知れない。だが、ソクラテスにとって重要なのは、死後の世界が本当にあるかどうかではなく、「よき人間には、生あるうちにも死して後にも、なに一つ悪しきことはなく、また彼の所業が神々の配慮を受けぬことはない」（『弁明』四一c—d）という自分の信念に生死を賭けることだったのである。そこには、神に対する敬神的な信頼と同時に、自分は少なくとも不正は犯していない、という強い確信を見ることができるのである。

しかし、ソクラテスの確信はあくまでもソクラテス個人のものである。友人たちの悲嘆を和げるには、自分が抱いているよき思いを共通に頒ち与えねばならない。この共通な善の分配は証明の形をとり、これがそのままソクラテスの死の弁明となるのである。

▼死の弁明

ソクラテスの弁明は、哲学者が死を求めることの必然性を説明する形でなされる。それは単なる個人的弁明ではなく、哲学を規定することであり、結局は哲学への勧めなのである。

哲学者が死後に期待を持つことのできる理由が、ミュートスで語られる来世図にあるのでないとしたら、その根拠は哲学の営みそのものに求められなければならない。つまり、死への願望は、哲学とは死の状態にあろうと努めることである、という哲学の定義を伏線としているのである。もしこの定義が認められるなら、その目的が実現するのを嘆き悲しむことは理に合わないことになる。しかし、哲学のこの真相を知るためには、まず「死」の意味を把握しておくことが必要であろう。

死とは「魂が肉体から解き放たれること」で、それぞれ肉体だけ、魂だけになることである。だが、この定義そのものは別に新しいものではない。死んで魂が肉体を離れることは、ホメロスも謳っているし、当時の一般的見解であったと言える。となると、問題は、その後の魂に積極的な存在を認めるか、もしくは否定的な見解を抱くかの違いにかかってくる。この違いは決して小さなものではない。魂が魂だけであることが認められるなら、上の死の定義は、単に魂と肉体が分離するという死の現象的事実を言っているのではなく、魂の肉体からの解放、つまり一種の独立宣言を意味することになる。もっとも、魂がそれ自体で存在することはこれから論ずべき点であり、それを明示してしまうことは論点を先取りすることにもなろう。だが、ここではむしろ、肉体に妨げられぬ時に、魂は本来の機能を発揮し、よく思考する、という点が強調されていると見るべきであろう。実際において分離することは、文字通り死を俟たねば不可能であり、それを哲学と呼んでも、それは人間の生と遊離したものとなる。これは哲学本来の意味からも問題であろう。先にも触れたが、真知を愛し求める営み（哲学）の主体となるのは、真知の所有者たる神ではなく、われわれ肉体を備えた人間であり、そのうち、己の無知を自覚している者にのみ可能なのである。

では、哲学者が肉体を避け、解放を求めるのはいかなる理由からであろうか。

まず第一に、哲学者の志向するところが一般人と違う、という点が挙げられている。彼らの関心は魂にあり、肉体に関わりのある快は、生存に必要な類のものを必要な限度において求める以外、求めようとはしない。むしろ、この種の快楽の追求で肉体とかかわるのを、できるだけ避けようと努力する。世の人が哲学者を死人同然と見る所以である。

第二に、哲学の営みである真理の認識において肉体と共同することは、認識の確実性の上でも、認識範囲の面でも、大きな妨げとなる。認識における肉体とは、感覚の作用を指している。つまり、感覚は肉体の器官を通して行なわれるからである。このことは、また、肉体の条件次第で、感覚が異なった情報を与えるという可能性を含んでいる。事実われわれは、健康な時と熱のある時とで、同じものが甘かったり苦かったりする経験を持っているのである。その時々で報告内容が変動するのであるから、真実の伝達手段としては、感覚は信用できない、むしろ欺くものとして警戒を必要とする。これに反し思考の働きは、論理の必然性に則ってなされ、外的条件で揺れ動くことはない。したがって、真実を教えるものとしては最も確実で信頼できる。だが、思考作用も、できるだけ感覚や快苦の感情に煩わされぬ時に最もよく機能する。それゆえ、真実を求める哲学者としては、できるだけそれらから離れ、魂だけになろうとするのである。ただし、このことを短絡的に、感覚や経験の切り捨てと考えてはならない。これは次の真実在の認識に焦点を合わせた発言なのである。そしてまた、これと関連して、われわれが感覚では捉えられない対象についても知識を持つ、という事実をも挙げることができよう。

一般にわれわれが思考し理解するというのは、問題となることがらの多様な実例すべてに亙って一なるものを把握することである。あるいは、一つの型《エイドス》において多様な現象をとらえること、または、その一なるものですべてを包括し、統一することだとも言える。たとえば、正しい行為の実例は無数にある。だが、それらを思考する場合には、その一つ一つを個別的に考えるのではなく、「正しい」という共通の事態において、あるいは「正しさ」という一つのものにおいてとらえるのである。その「正しさ」はどのような正しさ、つまり正しさの一実例（現象形態）とは異なり、具体的な特徴とか行為などの現われを必要としないから、「正しさそのもの」としか言えないものである。またその正しくあることを他のなにものにも依存しないから「それ自体で正しい」ものである。このようなものがなければ、個々の行為について「正しい」と言うことは意味を持たなくなろう。正しくあることの基準がなければ、ある行為を正しいと判定する根拠がないからである。

ところで、このような対象は感覚によってとらえることはできない。われわれが見るのは「これこれのような正しさ」であって、「正しさそのもの」ではないからである。つまり、感覚以外の能力、すなわち思考作用によらねばならないのである。したがって、この働きをできるだけ純粋に機能させるために、魂を純粋にすること（肉体からできるだけ離れること）が要求されるのである。

▼哲学は浄め

以上の他にも、肉体を持つがゆえに、肉体を養い世話する煩わしさを避けられないことも挙げられよう。肉体は、感覚や感情で真理探求を妨げるのみか、あくなき欲望の因となって生活を多様化し、観照の時を奪い去るのである。それゆえ、肉体と共にある限り、一般の人びとの生き方では真理への道が閉されていると言うべきである。そこで哲学者は、街道を避けて脇道を進まねばならないのである。街道に対する脇道の比喩は、明らかにピュタゴラス派のものであるが、では、ここで脇道と考えられているものは何であろうか。

哲学の主体がこのわれわれ、すなわち受肉した状態のわれわれの魂であることは言うまでもない。そのわれわれは、現実に肉体から切り離されてあることはできないし、また、転生のミュートスで予想されうるような、他の生きものとしての存在を次々に予定されているのでもない。哲学はあくまでも人間の営みであり、『パイドン』の議論でも、死は魂だけになることは意味しても、他の肉体に宿る転生までは含んでいないのである。そこにあるのは、純粋に魂だけの生と、魂の受肉した生との対立だけである。

このように見てくると、ここの議論を文字通り受け取っては意味がなくなるであろう。たしかに、われわれ自身の本来の姿は魂に、それも優れた意味での魂（知性）に求められるのであるから、魂だけになった時に、われわれは真の存在を回復すると言えよう。だが、魂だけになることが死を意味するのであれば、それの達成は彼岸においてでなければならない。その意味では、真理を追求する哲学者が死後の世界を憧れるのは当然である。しかし、ただそれだけのことであるとしたら、哲学の営みは、この人間としての生よりもミュートスにあるような彼岸の世界を憧れることと、大差ないようにも考えられよう。そして、ここに視点を置く限り、受肉の生は仮の第二義的なものでしかなく、哲学にも、かの生への準備という以外、積極的な意義を認めえないことになる。

しかし、ここでソクラテスが言おうとしているのは、そのようなことではあるまい。むしろ、そのような死を迎えるまでの生そのものに意義を求めていると考えるべきである。すなわち、哲学者は真理を愛し求める者であり、真理の把握が最もよくなされるのは、「能う限り思考だけでそれぞれの対象に向い、視覚を思考作用の中に併置せしめることもなければ、他のどんな感覚をも引き込んで思惟と一緒にすることもなく、思考をただそれだけで純粋なまま用いて、存在するもののそれぞれをそれ自体として純粋な姿においてとらえようと試み、目とか耳とか、言ってみればこの肉体のすべてからは、それらが共にあっては魂を混乱させ、真理と知を獲得するのを許さないのだと考えて、できるだけ解放されようとする」（六五e—六六a）場合だと言われるが、このいわば哲学者としての浄め《カタルシス》に意味があるのである。そしてこの浄めが哲学の営みに他ならい。死とは、実に、この営みの最も純粋な形、つまり、この生での営みと切り離されてあるのではなく、それの完成に他ならないのである。そして、哲学者の視野にあるのはこの完成状態だけであるから、あたかも死後の世界だけを彼岸に見ているかのようではあるが、彼にとって死後の世界がどうのこうのと言うのは、特に問題となることではないのである。

人間の場合、生物学的な死が、事実上、人間としての死をも含むことは否定できない。しかし、同時にまた、人間として生きることが、生物学的生とは反比例して、その完成度が高まれば生物学的生の要素が次第に縮小し、それの死にまで収斂していくという意味を含むことも、認めざるをえない。そしてこのプロセスに「肉体からの分離」を見ることは不可能ではないのである。人間としての生を主眼とする以上、このような見方のほうが本筋であろう。これは、死という何かネガティブなものであるよりは、人間にとってのまさに生そのものである。もちろん、それの完成において事実上の死を見ることは否定できないとしても、それは同時に生の完成でもあるのである。少なくとも誠意をもって哲学に専念する者にとってはそうである。もし哲学者の魂にして転生があるとすれば、それは他の肉体との結合、そしてその結合における新たな生の出発ということではなく、この人間的な生のより純化された形を生きるということでしかないのである。

哲学とは肉体からの能う限りでの解放を心掛けることだとするなら、哲学者は生きながらにして死を練習し、死の状態に近くあることを準備しているのであるから、実際に死が近づいた時に、つまりそれが最も純粋な形で可能となる時になって、これを恐れたり嘆いたりするのは不合理であろう。それは彼が真の哲学者ではなく、所詮は肉体的なものへの愛にとらわれ、一般の人びとと同じ「街道」を好む者であったことの証である。ディオニュソスの祭礼に聖杖を手にねり歩く者は大勢いても、秘儀に与り、真にバッコスの徒と呼ばれる者は少ないように、形だけの哲学者は多くとも、真実知を愛する者は少ないものである。

それならば、真に哲学の中に生きたかどうか、いかにして知りうるのであろうか。それは、死によってその営みが完成された時に初めて判定できることであり、したがって神の意志にかかっているという他はない。ソクラテスとしては、「自分も正しく哲学の営みを完成させた人びとの一員たらんと、この生において、できるだけただの一つの手落ちもなく、万策を尽して努力してきた」（六九d）としか言えないのである。とはいえ、この生を真理の探求に捧げたと、自らを省みていささかの恥じるところもなく主張できる場合には、この生は充実した満足できるものであり、そこに、この生に劣らぬよき生への確信が生まれることは、否定できないであろう。

3　魂不死の証明

▼証明の必要――ケベスの疑問

ソクラテスの以上の話は、哲学者の死に対する正当な見解を示すものとして、それなりに納得できる弁明をなしていた。友人たちは改めてソクラテスの心の内を見せられる思いがしたであろう。もしこの場にケベスが居合わせなかったら、これは恐らくソクラテスの訣別の言葉となり、たかだか個人的信念を述べたというに留まったかも知れない。だがケベスは、ソクラテスのこの弁明で重要な点が取り残されているのを見逃さなかった。われわれの本来的自己は優れた意味での魂、すなわち知性であり、肉体はその機能を妨げるがゆえに、哲学者は肉体からの分離、つまり死を歓迎すべきである、というのが弁明の趣旨である。ところが、ソクラテスはその中で、魂をあたかもそれ自体で独立して存在するもののように前提して述べているのである。しかし、死の恐怖は、実は、この点が不確実であるがゆえの不安であった。すなわち、肉体を離れては、魂だけで存在しえないのではないか、というのが恐れの原因だったのである。したがって、死後の魂が単独でどこかに存在しうるとする前提を疑いのないものとしない限り、弁明の仕事はまだ半分を終えたにすぎないことになる。それゆえ、ソクラテスは、ここでこの子供じみた恐れをロゴスの呪文で追い払う仕事を義務づけられることになったわけである。

『パイドン』で展開される証明はいくつかの議論からなり、それぞれ異なった観点からの証明をなしている。それはあたかも、この証明に都合のよい議論を適宜引いてきて、論証として並べたかのようであるが、それぞれが完結した証明というよりは、一つの証明に対して反論が出され、これにまた反論の形で別な議論を出すという風にしていき、最後に核心とも言うべき議論に至る、という問答法独特の高まりを見せているのである。この展開を予想させるかのように、ケベスは証明事項として、魂が死後も存在することに加えて、なお知性の働きを機能させうることをも挙げているのである。すなわち、存在の論証は第一証明の「反対からの生成の論」と、そして知性の働きは第二証明の「想起説」と、対応を見せているのである。

▼反対からの生成（第一の証明）

ソクラテスが挙げる第一の証明は、オルペウス教―ピュタゴラス派の輪廻転生の説がヒントを与えている。それは、この世を去った魂はかの世に存在し、再びこの世に生まれてくる、というものであるが、この生成の仕組みをこの生を中心に言い表わせば、生きている者は死んだ者から再び生まれてくる、ということになる。そして、このことが可能であるためには、われわれの魂は死後もかの地で存在しているのでなければならない。これはまさしく魂の不死の証明である。ただ、前提となる転生の説はミュートスであるから、これに代わるロゴスを確定させ、ここから、生きている者は死者以外からは生まれてこないことを結論する必要がある。そのロゴスが「反対からの生成」の説、あるいは「周期説」と言われるものである。

一般に反対関係にあるものにおいては、生成は反対のものから行なわれる。たとえば、何かが小さくなるのは、それ以前にはより大きかったからである。正しいということが以前になかったら、不正になるとは言えないだろうし、善いことが前に認められていなければ、悪くなるとは言えないであろう。このように、反対関係にあるものはすべて互に反対であるものから生成する、つまり、悪は善から、不正は正から、より小はより大から生成する、と言うことができる。

次に反対関係にある二項間の相互生成においては、より小なるものからより大なるものへの過程（増大）と、より大なるものからより小なるものへの過程（減少）のように、二つの過程が区別して考えられなければならない。かくて「反対からの生成」の論においては、反対関係にある二つの項がそれぞれ存在すること、そしてその間の生成過程は二つであることが確認されるのである。

さて、生と死は相反するものである。したがって、上の論理によれば、生きていること（生の状態）があれば反対である死んでいること（死の状態）もなければならない。ところで、われわれにとって「現に生きていること」は確実な事実である。では、われわれ生あるものはどこから生成してきたのか。「死んでいるものから」ということは必然であろう。となると、われわれの現に生きていることが確実であるのと同様、それに先立つ死の状態も確実なこととして認められねばならず、魂が死者の世界ハデスに存在することは疑いえないであろう。これは、形式的には、死後の魂の存在に論拠を与えるものである。

だが、これですべて完了する訳ではない。われわれが生きているという一方の項を確実なこととして認めた場合、「反対からの生成」の論は、もう一方の項である死への生成過程をも確定することになる。生きていることが確実であり、そこから生成変化するとしたら、生とは反対の死に向けてなされるのは必然だからである。事実、われわれは、やがて死ぬことを既定のこととして生きているのである。しかし、この論が完全であるためには、さらに死から生への過程をも同様に保証する必要があろう。そこで持ち出されるのが円環的な周期説である。すなわち、生成過程が直線的であるなら、変化は一方的に行なわれ、死ぬばかりで蘇りの過程がなくなるから、万物は死滅し去り、生成そのものも、また反対関係すらも終止することになる。このような結果にならないのは、自然の運動には対応的に補足し合う法則が支配していて、一方への生成には、必ず他方からの生成が対応してこれを補い、均衡が破れるのを防いでいるからだ、と考えるのである。万有が無限性を保持できるのも、この円環的周期を持つことによるのである。したがって、この説によれば、死ぬこと（死への生成）が確実であれば、それに応じて、再び生まれること（生への生成）も確実なこととして認められるのである。

▼この説の問題点

反対からの生成による周期説は、転生のミュートスに代わって、ロゴスの上で魂の不死に根拠を与えることになる。そして論証としてもかなり巧みであることを認めざるをえない。容易に他人の説を容れないケベスですら、これには全面的な賛意を示しているのである。

しかし、この証明にも問題がないとは言えない。生きているものが死者から生成すると言うが、その場合の生成の意味があまり明確でない。曖昧なうちに、なにか自然学一般の生成方式の中に吸収され、一般論として承認されてしまったきらいがある。だが、大―小、美―醜、速―遅といった対立関係や、自然物に見られる相互生成の関係、さらにソクラテスが好んで併置させる覚醒―睡眠の対立と、ここでの生―死の対立とは、必ずしも同列には扱いえないであろう。

たしかに反対対立をなすという点では同じである。したがって、たとえば、対立する両者を同時に肯定した「正しくかつ不正であること」は認められずとも、同時に否定した「正しくも不正でもないこと」は認められるように、生—死の場合でも、「熱くも冷たくもない」、「美しくも醜くもない」等々と同列に「生きても死んでもいない」状態を認めることはできる。仮死状態とか意識を失った状態などがこれに当たるであろう。だが、そこまでは認めても、小さなものが大きくなるとか、美しいものが醜くなるのと同じように死から生が生成するか、となると問題である。

ここで「生成する」と訳したギリシア語 (gignesthai) は、「……になる」、「生成する」、「生まれる」などの意味を持っている。ここでは生きものの生成を論じているのであるから、「生成する」と「生まれる」は同一と見てよいであろう。そうした場合、「……になる」と「生まれる」の使い分けのうち、ここではどちらが用いられているのか、明確でない。

もし「……になる」の意味であるとすると、この説は、あるものが、以前そのものを特徴づけていた特性とは反対の特性によって特徴づけられるようになる、ということを述べていることになる。つまり、生は死から生ずるというのは、何かが死の状態にあったのが、生の状態になった、ということになり、あたかも生と死を属性の獲得と同じように扱うことになる。その場合さし当たり問題となるのは、その「何か」、すなわち「生きている」とか「死んでいる」という述語を担うもの、が何であるかということであろう。議論の筋道からすると、それは魂以外のものであってはならない。だがそうだとすると、これは「生きている」という状態、あるいは属性を獲得する以前に魂が先在することを前提とした議論だ、ということになる。すなわち、魂の先在を証明すべきである議論がすでに魂の先在を前提しているという誤りが、そこには見られるのである。

また、「生まれる」という意味だとしても、この誤りは拭いきれないであろう。「生まれる」ということも、生誕によって「生きている状態」になることだと言えぬことはない。だが、生まれるという場合には、普通それ以前が死んだ状態であることを必要としない。「生まれる」の主語は生きものである。だから、「魂が生まれる」のではなく「ソクラテスが生まれる」と言うのである。そしてその場合には、生まれる以前の状態については「何も存在しなかった」と言う以外はなく、「ソクラテスが死んでいる状態から生まれた」とは考えないのである。

だが、このことはここの説の意図に反することになる。そこで主語を魂と考え、「生まれる」を魂が肉体のうちに宿る、つまり受肉の状態に入ることだと解する必要が生じてくる。ソクラテスも、「われわれが生まれる」という一般的表現と併べて、「われわれの魂が生まれる」とか「肉体の中に閉じ込められる」などと表現しているのである。ところが、この意味であるとすると、先の魂の先在を先取りする結果に再び陥ることになるのである。

その他にも、この周期説には自然学の領域におけるほど馴染まぬ面があるであろうが、しかし、この証明が議論の展開にきっかけを与え、しかも後の実りある議論の下地を作っていることは認めなければならない。

▼想起説（第二の証明）（一）――『メノン』の場合

周期説は生―死―生の円環を説くのであるが、魂不死の証明としては、もっぱら、生きているものは死んでいるものから生ずるという点に焦点が合わされていた。つまり、死せる状態から生きている状態の生ずることが確定すれば、魂は死せる状態においても存在する結果になるから、最も手短な証明としては、生きているものは死んでいるものからのみ生ずることを説けば、当面こと足りるのである。この魂の先在を説くことから、ケベスは、同じく魂の先在を証明するものに想起説があることを想い出す――これが想起説の導入である。

それは、一口で言うと、「われわれが学習するということは、他でもない、想起することだ」というものである。これが認められれば、想い出すためにはあらかじめ学習している必要があるから、後天的に得られたのでない知識に関しては、人間として生まれる以前に学習していなければならず、この点からも魂の先在を証明できる訳である。

ところで、学習＝想起説は、「ひとは、適切に問をかけられるならば、質問されることによって自分で、どんなことでも、それが真実ある通りに述べることができる」（七三d）ということを根拠にするのであるが、その適切な実例は、『メノン』における少年を用いた実験（八二b以下）に見ることができる。

この少年はメノンの召使いをしている奴隷であるから、幾何学を学んだことはない。しかし、ソクラテスが図形を描きながら質問を重ねるうちに、少年は、ある正方形の二倍の面積を持つ正方形は先の正方形の対角線を一辺とすることを、自分で学び知るようになるのである。

まずソクラテスは正方形ＡＢＣＤを書いて（1図参照）、正方形の各辺が等しいこと、対辺の中点を結ぶ中央の線ＥＧ、ＨＦも同様に等しいことを確認する。次に、一辺が二呎《フイート》とすると、面積が四平方呎であることも、2×1＝2平方呎の長方形を二つ重ねて見せることで確かめる。少年はこの長方形が二平方呎であること（恐らくは1×1＝1平方呎の単位正方形が二個分であること）だけは理解しているのである。

そこでソクラテスは少年に、この正方形の二倍の大きさの正方形は一辺がどれだけかを問う。

1図

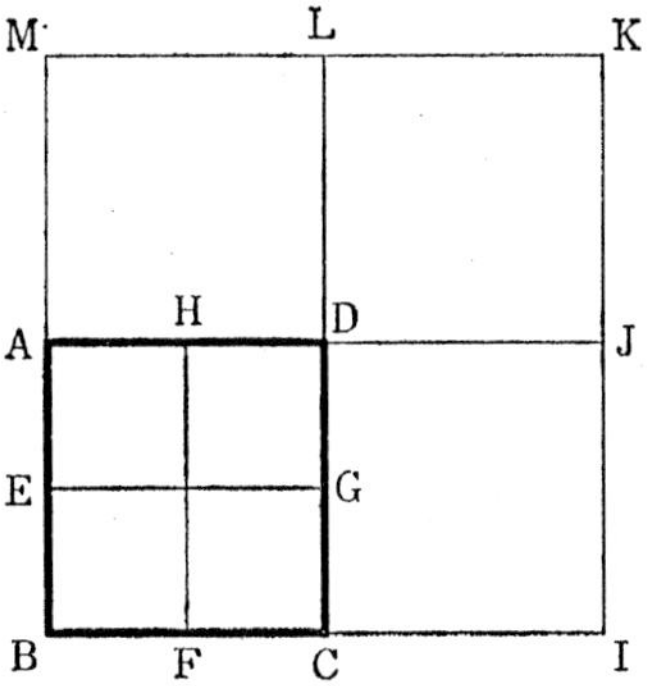

2図

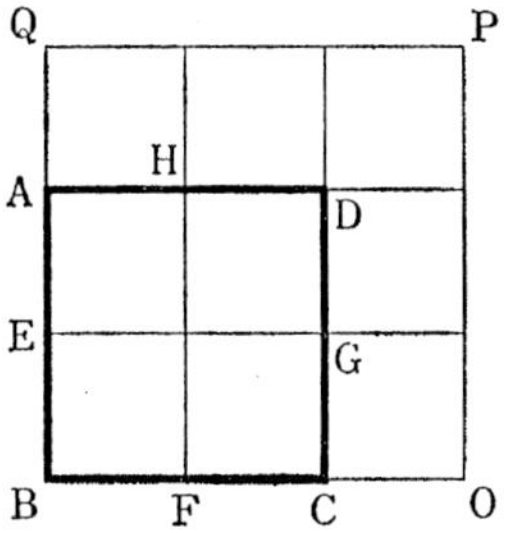

3図

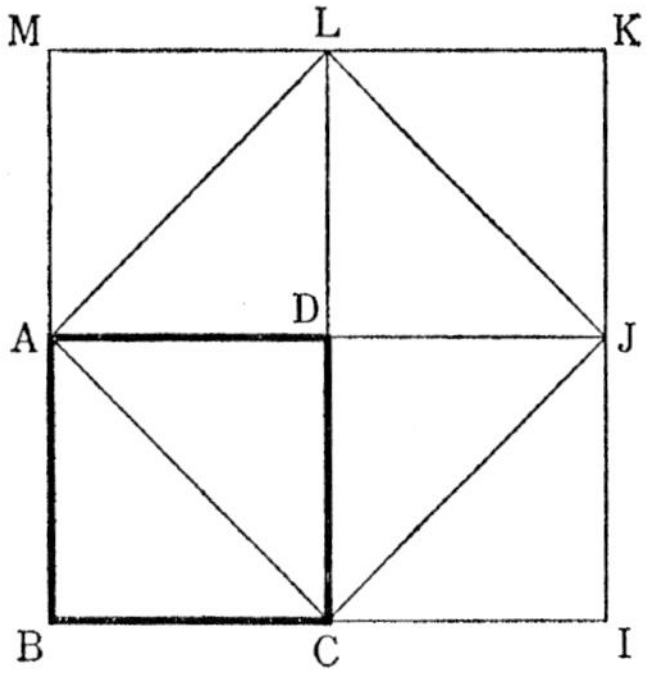

すると、この種の四角形の面積が縦横二辺の積であることを知っている少年は、二倍の面積なら辺も二倍であろうと、当然のことのように答える。つまり少年は、面積が辺の長さに関係することは知っていても、どのような関係にあるかは知らない。だから、単位としての 1×1=1 平方呎の正方形の例がそのまますべてに当てはまると考えたのであろう。ソクラテスはここで、一辺が二倍、つまり四呎の正方形ＭＢＩＫを描き、辺の中点を求めて、この点で辺が半分に分けられ、その一つが先の正方形の一辺と同じ長さであることを確認させ、その上で、中点を結んで正方形を四等分して見せる。少年はその一つ一つが先の正方形と同じ大きさであることを認めた上で、後の正方形が先の正方形の四倍であることを、まず図形の上で知り、ついでそれが 4×4 すなわち一六平方呎であって八平方呎でないことを理解する。ここで少年は第一のアポリア（行きづまり）に陥るのである。正方形に関する彼の判断のよりどころであった「辺が二倍になれば面積も二倍になる」という思い込み（ドクサ）が、ここでもろくも崩れ去ったのである。

そこで少年は考える――二倍の正方形の一辺は二呎より大きいが四呎より小さい、だから三呎であろう、と。少年にとっては自然数で考えるのが精一杯であろうから、これはごく自然な答である。だがこれも、元の正方形の一辺にその半分の長さを加えた正方形ＱＢＯＰを描き（2図参照）、これを一辺一呎の正方形に九等分して見せると、少年はそれが九平方呎であって八平方呎でないことを知るようになる。だが少年の知識では、二呎と四呎の中間である三呎も駄目となると、もう答えようがない。ここで彼は大きな行きづまりの苦しみを味わうことになる。それはまた、ソクラテスのあの「無知の自覚」の第一歩でもある。これまで知識と思い込んでいたものが崩れることにより、彼には正しい知識への障害が一つなくなったのである。

少年の躓きから、想起の実験は核心に入る。ソクラテスはこれまでと同じように、図形を描いて少年の判断をひき出していく。まず最初と同じ正方形を描き、それに同じ大きさの正方形三個を加えて四倍の正方形を作ってみせる（3図参照）。そして、それが（2×2）×4＝16平方呎であることを確かめる。次に、小さな正方形のそれぞれに、大きい正方形の各辺の中点を結ぶ形で、対角線AC、CJ、JL、LAを引き、こうしてできた正方形の大きさを考えさせる。少年はすぐには答えられないが、それぞれの対角線が小さな正方形を二等分していることは理解する。また、これと同じ三角形が四つで求める正方形ACJLを作っていることも知る。ここから、その正方形の大きさは（4÷2）×4＝8平方呎で、最初の正方形の二倍であることが理解される。ここに至って少年は、二倍の大きさの正方形は元の正方形の対角線を一辺とすることを知るのである。

この実験を通じて、ソクラテスは、自分は何も教えていない、ただ質問をしただけであったが、その質問によって少年は自分のうちにある知識を取り出したのだ、と繰り返す。すなわち、ひとには、自分の知っていないことについても、いろいろなドクサ、つまり自分なりの考えとか思い込み、推測といったものがあり、それらドクサはいわば寝起きの状態で曖昧模糊としているが、質問を繰り返して行くうちに次第に目覚めて、ふらつきのない正確な知識になる。これは別に他人が教えた訳ではないから、自分で自分の内から獲得したと言う他はないが、このことはあらかじめその知識が自分の内に内在していたからこそできるのである。つまり学習というのは、この以前学んで知っている知識を再び把握することに他ならないのである。だから、自分の無知が暴かれるのを直視できる勇気と、どんなアポリアにも挫けず、そして倦むことのない探究心があれば、誰もが想起を機縁としてすべてを発見できるのだ――こう結論するのである。

▼『メノン』の想起説の特徴

以上の実験を見て誰しも不審を抱くに違いない。想起とは文字通り想い出すのであるから、少年自身がそれをするのでなければならない。ところが実験の過程を見ていくと、図形を描いてみせ、少年の考え（ドクサ）の誤りを指摘するのはソクラテスである。それはドクサの吟味のためということでまだ許されるとしても、アポリアに陥ってから正しい知識に達するまでの過程でも、ソクラテスは質問してその返答をじっと待っているという訳ではない。やはり図形を描いてみせ、答えられぬと見ると、すぐ補助線を引いてヒントを与えるのである。それはさながら、子供の先に立ってそろそろ誘導している姿である。少年もただソクラテスの説明を肯定し、恐らくはそれを納得しただけであって、「学習はすべて想起である」という定義がなければ、これが想起とは思えぬほどである。

だが、いかに誘導しても歩くのは子供自身である。だから、見方を変えて、このやりとりすべてを少年ひとりの思考過程だと考えるなら、この発見の方法を想起だと言っても、全く理解できないことではないだろう。とすれば、どうやら焦点は、ソクラテスがどうしたとか少年がどうしたということではなく、そのような思考の過程そのものに合わせるべきなのであろう。つまり『メノン』においては、想起実験におけるプロセスそのものに重点があるのである。それは、論理の筋道に従い、個々の実例における基本的なことの確認を積み重ねていって原理的な知識に達する、という過程と見てよいであろう。この知識は教えられたものではなく、いわば自分で自分の内から得たのであるから、想起だとされるのである。これは、『パイドン』における想起とはタイプを異にするものである。

『メノン』で想起説が持ち出された意図は、世の論争家が挙げる「探求不可能のアポリア」に対し、探求の可能なることを示し、これを励ますことにある（八六b―c）。そのアポリアとは、「人間は、自分の知っているものも、知らないものも、探求することはできない。知っているものについては探求の必要はないし、知らないことについては、何を探究したらよいかすらわからないのだから、探求することはありえない」というものである（八〇e）。たしかに、UFOについて、それを耳にしたことも読んだことも、とにかく全く知識のない人には、「それは何か」と探求心を抱くことはないだろう。知識の完全な充実状態であっても、完全な真空状態であっても、探求が生じないのは言うまでもないことである。だが、このような知・無知はごく特殊な場合であって、通常は、その中間にある無数の程度差の刻みの中で知る知らないを言っているのである。にもかかわらず、両極だけを示してすべてを尽したとするのは、明らかに虚偽である。

この一種の詭弁に対抗し、探求の可能性を示すためには、知らないことについてもわれわれは全くの無知ではなく、なんらかの形で知っているのだということを証明してみせる必要がある。これが『メノン』での想起説導入の意図である。したがって、オルペウス教―ピュタゴラス派の転生説への言及も見られはするが、『メノン』では魂不死の証明がそのテーマなのではない。むしろ、魂の不死は強い確信をもって断言できることではないし、その意志もないことを、ソクラテスは表明しているのである（八六b―c）。つまり、転生説に関しては、これを借用して前提としたほうが、探求の可能性を与え、進歩をもたらすことになるという点で都合がよい、というプラグマティックな意味しか認めていないのである。

▼想起説（第二の証明）(二)――『パイドン』の場合

『パイドン』の想起説は次のように要約されている。

「ひとが何かあるものを見るとか聞くとか、あるいは他の感覚で感じとるかすることで、当のそのものを認めるだけでなく、他の何かをも心に描く、つまり、当のものについての同じその知識ではなく、それとは別の知識が対象とする何かをも心に描く、という場合、その人はこのもの、すなわち彼が心に思い描いたそのものを想起したのだ……」（七三c）

これは次のように改めることができる。

「もしひとがaを感覚して、aを認めるだけでなく、他のもの（他の知識の対象である）bをも思い浮べる場合、彼はbを想起したと言われる」

つまり、『メノン』とは異なり、あるものの感覚を通して他のものを思い出すという形で想起を説明しているのである。もちろんこれは『メノン』の想起説と並べて述べられたものであるから（七三a―b参照）、別なタイプの想起と見るべきあろう。その実例としては次のようなものが挙げられている。

(1)愛人の琴とか衣服を見て、その持主である愛人の姿を心の中にとらえる（この場合、人間の知識と琴・衣服の知識とは別である）。

(2)シミアスを見てケベスを思い出す。

(3)馬の絵や琴の絵を見て、ある人間を思い出す。

(4)シミアスの絵を見てケベスを思い出す。

(5)シミアスの絵を見てシミアスその人を思い出す。

これらの実例を見ると、「何かを見て他のものを思い出す」という形にはなっているものの、想起のきっかけを与えるものと想起されるものとの関係は様々で、ただ羅列しただけの感がないではない。あえて分類すれば、(1)と(2)は実物を見て他の実物を想起する場合、(3)―(5)は実物の模写を見て実物を思い出す場合、に分けることもできようが、それでは単なる説明上の便宜的分類にすぎないであろう。

ところで、これらについてソクラテスが与える分類は、「類似しているもの」をきっかけとした想起と「類似していないもの」を通じての想起である。しかし、類似しているとかしてないとか言っても、それは不完全述語で、何と何が類似しているか、またいかなる点で似ているかが補足されねば意味を全うしない。したがって、ここの類似による分類というのはきわめて曖昧である。たしかに、(5)のシミアスの絵とシミアスが類似していることには異存はないが、他の場合で類似を言うのは、通常の用語法からは不可能であろう。しかし、シミアスとケベスも、同じ人間であるということでは似ていると言えるだろうし、琴と持主である人間も、同じこの世界にあるということで実在レベルを同じうし、その意味では似ていると言えないこともない。もし後の意味にとれば、上のすべての場合は類似しているもの同士の例となるのである。

ここでこの問題に深入りすることは許されないが、次に挙げられる「等しいもの」から「等しさそのもの」を想起する例で見ると、ここで言う「類似しているもの」からの想起は、エイドス（イデア、形相）と感覚的事物との関係の説明を意図している、と考えてよいだろう。感覚的事物（個物）はある意味では一なるエイドスの写しと考えられるから、その限りでは(5)のシミアスとシミアスの絵の例が、原物と模写物間の関係を示すものとして、それに類比せしめられるのは自然である。『パイドン』の議論もそのような展開で進められているのである。だが、そうだとすると、何ゆえに「類似していないもの」からの想起に、それも多くの例を出してまで、言及したのであろうか。

これについては――個物はある意味では、エイドスの写しであり、その限りではエイドスと似ていると言える（あたかもシミアスの絵がシミアスに似ているように）、だが一方、それらは存在の秩序を異にしているから、すなわち、エイドスと感覚的事物とでは、同じあると言われる場合でも位相が異なるから、その意味では類似していないのだ——こう解することができるかも知れない。しかし、シミアスの絵とシミアス自身を結びつけるのと、シミアスの絵とケベスを、さらに馬の絵とシミアスを結びつけるのとでは、構造が異なっており、並列的に考えることにはなお問題が残るのである。この点を理解するためには、想起という心理作用についていま一度考えてみる必要があろう。

▼**想起とは何か**

想起（anamnēsis）という語は文字通り「思い出す」の意味であるが、その用法上、二つの側面を認めることができる。その一つは、(1)遠くかすんだ記憶を呼び戻すことであり、いま一つは、(2)何かをきっかけとしてあることに思いつくということである。『パイドン』の「aを見たり聞いたりして、それを認めるだけでなく、別のbをも思い浮べる」という方式は、主として(2)の側面に力点を置いたものと言えよう。つまり、単に古い記憶を掘り起こすことが問題ではないのである。もちろん、魂不死の証明の手続きとして(1)の点を無視することはできないが、(2)の側面で想起をとらえても、その可能性の原因を遡及していけば、証明手続上の必要は充たすことができるのである。したがって想起説においては、(1)の側面もさることながら、むしろそれが学習であるという面に注目したほうが文脈に忠実であろう。ここで挙げられた実例を見ても、記憶を取り戻すというよりは、連想作用と言った方が正確と思われるものばかりである。学問研究においては、心のこの作用がむしろ重要であって、忘却の中で記憶の糸をたぐる老婆の昔語りのようなことは二の次なのである。この点は、教授による知識の獲得は、茶碗の水を移しかえたり、袋の中から随意に取り出したりしてみせるのと同じではない、と戒めているソクラテスの態度とも一致するであろう(『饗宴』一七五d―e、『テアイテトス』一六一a―b)。

われわれはさらに、ギリシア語の「学ぶ」(manthanein)という語が「理解する」という意味をも持っていることに留意すべきである。学習とは、経験や教授による知識をただ集積するというだけのことではない。理解するという限り、自分でそれを納得することであり、いわば自分の内から知識を引き出すことである。その点では基本的に想起の(1)の側面があることは否定できないが、しかしそれだけであってもならない。あることを通して他のことに理解が及ぶという(2)の側面も含まれており、むしろこの側面によって思考が展開され、学問上の発見も可能となるのである。『パイドン』の想起は、実在レベルの異なる感覚物をきっかけにエイドスを把握するという文脈で述べられるのであるから、なおさらである。

このように(2)の側面に重点を置いて見る時、「類似しているもの」と「類似していないもの」の区別は全く意味のないことになる。たしかに、シミアスの絵を見てシミアスその人を思い浮べることは、上述のように、材木や石が等しいということから「等しさそのもの」に思い至る例としては恰好のものである。そして、シミアスの絵はシミアスの模写であり、類似しているのは当然であるから、これを類似しているものからの想起の例とするのも自然である。だが、形式的に類比が成り立つというだけで満足してはならないであろう。

先に示した想起の方式によれば、まず何かを見てそれを認めることが必要で、これを契機として他のものを思い浮べるという心的作用が生ずるのである。これは想起にとって重要な条件である。たとえば琴を見て持主のシミアスを思い出すという場合、見たものが何か分からないのでは想起を結果しない。とにかく、それが琴として認められることが必要である。そして、琴であると認めた時、初めてシミアスへと連想が働くのである。

だが、その場合、見ているものを「琴」と認めるだけでなく、「シミアスの琴」と認めたとしたらどうであろう。そこからシミアスを思い浮べるとか、想起すると言えるかどうか問題である。というのは、「琴」を見ることと「シミアス」を思い出すこととは論理的に独立しているが、「シミアスの琴」と「シミアス」は独立していない、つまり、「これはシミアスの琴だ」と認める場合には、その観念の中には「シミアス」が含まれており、すでに心の中に「シミアス」を思い浮べているからである。もちろん、愛人の持物を見て愛人を偲ぶということは現実にありえよう。そしてその時は、それを愛人の何かとして認めている。だがその場合でも、思い出されているのは「愛人」その人ではなく（すでにその観念は含まれている）、愛人がどうであったとか、何をしていたとかいうことであって、それは、ある品物からの連想というよりは、その品物が愛人のものであると認めることに含まれている「愛人」の観念からの連想と見るべきであろう。

もしシミアスの琴とシミアスの間の想起に疑点があるとするなら、それはシミアスの絵とシミアスの間においても問題とされるべきであろう。シミアスの絵はシミアスの琴以上にシミアスの観念を含んでいるのであるから、一方を原因として他方を想起するという因果関係はさらに困難になるのである。ここの想起説、つまり、エイドスの想起を視野に置いている議論では、むしろ類似していないものからの想起のほうが、(2)の側面を暗示する意味で、重要であると考えるべきであろう。このことは、想起のきっかけを与えるという点では、類似している、していないの区別がさほど重要ではないこと（七四c—d）、そしてまた、ここで言う類似が、後出のエイドスと個物間にあるとされる類似とは区別さるべきであること、を物語るのである。

▼**想起によるエイドスの理解**

『パイドン』の想起説が、感覚的事物からエイドスを想起（認識）することに焦点を合わせているということは、『メノン』の想起説と異なるところである。『メノン』では命題証明の形で想起の過程が主に述べられているのに対し、『パイドン』では、想起の過程よりもその対象、すなわちエイドスに重点が置かれていると言えよう。ではエイドスはいかにして想起されるのであろうか。

われわれはある木材とある木材が等しいということを経験する。また石と石が等しいことも見ている。そして、このような経験を通して、それら現象のすべてには等しくあるという一つの共通な事態があることを認め、かくて、等しい状態にある木材とか石などとは別に、等しくあることそのこと、つまり「等しさそのもの」に思いつくようになる。そしてその際、「等しさそのもの」が等しい木材や石と別であるというのは、存在の秩序が別であるという意味であることも、われわれは知っている。木材が等しいことは見ても、「等しさそのもの」を見ることはできないからである。また、木材や石は、大きさは同じままであっても、人によって等しくないように見えることもあるが、「等しさそのもの」が等しくないことはありえないからである。たしかに、等しくあるそのことが等しくなくもあるとしたら、これは問題であろう。だが、感覚的事物においては、それらの等しくある事態は、外的条件で揺れ動き、不動のままではない。われわれは習慣でそれらについて「等しくある」と言っているが、その「ある」は、等しさそのものの場合とは異なり、確実性に乏しいのである。ギリシア語の表現では、「Aが美しい（美しくある）」は「Aに美しさがある」と同じに理解されるから、この場合の「ある」は主述を結びつける単なる繫辞に留まらず、同時に「存在」をも意味している。したがって、これらの等しいものどもは、その存在性において等しさそのものより劣っている、と言い換えることができる。たしかに、等しい木材も等しさそのものも、等しくあるという事態に関して類似関係にある。だが、両者を比較すれば、優劣の違いはどうしても認めざるをえないのである。つまり、等しくあるという点に関して、等しさそのものは完全であり不動であるが、木材や石においては、欠けるところがあり不完全であるという認識は避けられないのである。

　ところで感覚的事物の等しさが「等しさそのもの」より劣るという判断ができるためには、その基準としてあらかじめ「等しさそのもの」の知識がなければならないであろう。ではその知識はどのようにして得られたのか、その説明が必要となる。このことは「等しさそのもの」ばかりでなく、「美そのもの」とか「善そのもの」とか「正義」など、一般に「まさに……であるものそのもの」という表現で示されるものすべてについても同様である。これらはエイドスと呼ばれるが、エイドスはわれわれが感覚を用いて把握するものではない。感覚による経験を契機として思いついたものである。すなわち想起されたのである。だが、想起されうるためには、われわれが人間として生まれる以前にその知識を持っている必要がある。なぜなら、人間として肉体を備えて生まれて以来、われわれは感覚を用いざるをえないのであるが、しかしわれわれは感覚によってエイドスをとらえたことはなく、したがって後天的にこの知識が得られたとは考えられないからである。

ところでエイドスの知識の所有については二つの可能性が考えられる。すなわち、この知識の獲得は生まれる以前であるとして、われわれは、(1)その知識を所持したまま生まれてくるか、(2)生まれる時に失ってしまうか、である。(1)の場合であるとすると、われわれはいついかなる時も知識を持っており、実際に知っている状態になければならない。これは事実に反している。なぜなら、知っているなら、知の条件として、それの何であるか、なぜそうであるかについて、理論的に説明を与えることができるはずであるが、一般にそれの完全になしうる者は見当たらないからである。とすれば(2)の場合、すなわち、生まれる時(この肉体と結合した時)にそれを失い、忘却の状態に入った、ということになろう。そして、この忘れられていた知識を、感覚をきっかけとして、われわれは再び取り戻すのである。これが想起であり、このことを一般に学習すると呼んでいるのである。

だが、この知識の取り戻しを文字通りに受けとるべきでないことは、先にも述べた通りである。ここで主張されているのはエイドス理解の可能性、つまり、ア・プリオリ（先天的）なものの認識の可能性を与えることである、と見るべきであろう。それは、感覚によってはとらえられぬものをいかにして知りうるか、という認識の問題に一つの解答を与えるものなのである。したがってそれは、古い記憶を探し求めて、それにゆき当たればたちまちにしてすべてを理解する、といったものではなく、『メノン』の実験にあったように、ドクサの形でいわば睡眠状態にある知識を、あたかも薄皮を一枚ずつ剝ぎとっていくようにして、完全に醒めた状態にするという、系統だった行程であり、あるいはまた、肉体との結合により肉体的なもので覆い隠され、あたかも波に削りとられ、貝殻や海藻が付着して元の姿を失った状態にある魂から、根気よく異質的な付着物を削り落としていく長い道程である（『国家』六一一b—一二a）、と言ってよいだろう。それはまた、ソクラテスの問答法（dialektikē）という、ものの本質に迫ろうとする探求法でもある。

▼想起説による魂不死の証明

さて、学習は想起であり、後天的には獲得できないものの知識を現に持つことができるのは、われわれが想起するからであり、そのためにはあらかじめそれを知っていなければならないが、生まれてこの方それを知っていなかった、あるいは、それは後天的には知りえないものである、とすると、その知識の獲得は、われわれの魂が肉体と結びつく以前、魂が肉体と離れてある時になされたということになる。このことは、魂が、われわれが人間として生を享ける以前にも、知的能力を持って存在していたことを前提としなければ不可能である。したがって、魂はこの生に先立って存在していたことになる。これは想起説を持ち出した意図を一応果たしたことを意味する。先にも述べたように、ケベスが想起説に言及したのは、周期説が魂の先在を説いていることとの関連からだったのである。だが、これがそのまま魂不死の証明として充分かどうかは問題である。この点は後でシミアスとケベスが示した疑問によっても知られるであろう。ただ、周期説と違い、魂の先在を先取りする議論になることは免れているようである。

すなわち、周期説では、生あるものが「生ずる」とか「生まれる」ということから魂の先在を証明しようとするのであるが、それは、生あるものは死の状態から生じてくるがゆえに、死の状態においても魂が存在する、と主張するのである。だが、魂の先在を導く「生あるものは死の状態から生ずる」という命題は証明を必要とすることであり、かえって、その理由として「魂が死の状態においても存在する」ことを挙げるというのが正しい論理である。したがって因果関係はむしろ逆なのである。つまり、証明さるべきことを前提とした議論ということになる。もっとも、想起説についても、魂が先在するがゆえに想起は成り立つのだと反論できそうである。しかし、想起の場合は証明を必要としないということがある。われわれは「魂の先在」を証明せずとも想起を実際に行なっており、また自明なこととして認めているのである。この点で周期説とは異なるのである。

だが、それよりも何よりも、ここの想起説において、魂の先在性が「美」や「善」などのエイドス（真実在）が持つのと同じ確実性において認められているということに注目すべきであろう。われわれが感覚される個々のものをこれらエイドスにおいて理解するということはすでに述べたが、このことが現に行なわれているという事実を認めるなら、そして、これらエイドスは経験によって得られたものでなく、想起によって、以前から自分のうちにあるのを見つけ出すというのであれば、エイドスの存在が持つ必然性、確実性と対応的に、われわれの魂が先在することを主張できるのである。だが、これら真実あるとされるものがその存在を疑われるなど、絶対にありえない。したがって魂の先在は、エイドスの存在と同様、自明なことになるのである。このことは、『パイドン』の魂の議論が単に魂不死の一証明ということではなく、永遠の真実在をめぐる哲学の議論であることを予想させるであろう。

▼ **魂不死の証明は完全になされたか**

想起説はソクラテスの思想の中でも重要な位置を占めるものであり、これに基づいた不死の証明はかなり説得力があるように思えるが、死後の魂に対する不安がこれで消えた訳ではない。というのは、先の周期説は生と死の円環的生成を説きはするが、不死の証明として特に焦点を合わせていたのは死の状態からの生の生成であったし、また想起説の結論も、要するに魂が先在することの確認であって、死後の存在については直接に何も述べていないからである。だが、われわれにとってはむしろ死後の魂のあり方が問題なのである。なぜなら、われわれにはっきりしているのは現に生きていること（生の状態）、そして死んでいくであろうということ（死への生成）であり、死せる状態から生まれてきたのかどうかは、直接の関心事ではないからである。したがって、人びとの怖れについてはまだ何も答えられていないとも言える。当然ここで死後に魂が存在することを証明せねばならないはずであるが、ソクラテスは、周期説と想起説の二つを合わせることで証明は完了していると答える。

「もし魂がこの生以前にも存在しており、一方、魂が生へと向かって生まれてくる場合は、他でもない死、つまり死んでいる状態からなされるのでなければならないとするなら、死んだ後にも魂が存在することは必然的でなければならぬだろう、少なくとも魂が再び生まれてくるべきである以上は」（七七c—d）

しかし、これで魂の後在が証明されたと言えるのだろうか。ここで挙げられていることは、

(1) 魂はこの生より前にも存在する

(2) 魂が生まれてくるのは死以外からではありえない。

の二点である。これらは、魂がこの生以前に存在することを言っているだけで、ここから魂の死後の存在が言えるためには、あの周期説の円環構造を持ち出さねばならないのである。このことは、「魂が再び生まれてくるべきである以上は」という限定が示唆しているであろう。だが、周期説は魂の先在をも証明しているのであるから、ただそれだけのためなら、二つの説を合わせなくても、周期説だけで必要な証明は完了していると言えるのである。では、何故想起説をも結び

つけると言われたのであろうか。

先に『パイドン』の想起説は、想起の過程よりも対象に、つまり真実在の認識に重点がある、としたが、このことと無関係ではないようである。すなわち、周期説においては生成の一般論が述べられた。それは魂の生成（生死間の生成）だけでなく、広く自然学の領域にも適用できる理論である。これだけでも魂の後在は証明されるが、これに想起説を合わせ考えることにより、これが単に輪廻転生のメカニズムの説明ではなく、真実在の認識と関わりのあること、そして同時に、魂の先在はこの認識との関係において、疑う余地のない確実性を獲得していることが証明され、かくして後在もそれと対応する確実性をもって主張できることが、意味されていると見るべきであろう。これは、「死後も魂は能力と知を持つ」（七〇b）とか、「人間の姿に入る前にも魂は肉体から離れて存在しており、知を有していた」（七六c）という表現と符合するのである。

だが、とにかく死後の魂が散り散りになりはしないかという子供じみた恐れに直接応対するため、ソクラテスは死後の魂の存在証明にとりかかることになる。

▼**親近性による不死の証明**（第三証明）

この証明は、死後の魂の分解飛散に対する不安について、分解がいかなる類のものに生ずるかを説き、分解せぬものと魂との親近性を求めて、不死の証明にしようというものである。

分解を受けるのは、本来的に一なるものではなく、多くの要素から合成されて一つの形をなしているものである。この種のものは合成されてきたと同じ道を逆に辿って分解される。これに対し非合成的なものはまた非分解的でもある。ところで、全く非分解的であることは恒常的で不変なる存在にふさわしいことである。とすると、分解的なものは、これとは反対に同一性を保ちえぬものということになる。すなわち、

(1)　a分解的―合成的―非同一的、変化

b非分解的―非合成的―同一的、不変

の区分が考えられる。この区分を先に挙げた存在(ある)の種類に当てはめると、われわれが「まさに……であるところのもの」として表わす真実在、たとえば「等しさそのもの」や「美そのもの」などは、まさに等しくあり、まさに美であるのであるから、それらが等しくなくあるとか美しくなくあるとかすることは考えられない。つまり、これら真実在(エイドス)は、常に同一態を保持し、およそ変化というものは一切受けつけない。したがってbの種類に該当する。これに対し、この経験界において見られる美しさは、いかなる時も同一態を保持することができない。多くの美しいもの、等しいものなどは、美しさそのものや等しさそのものと名を同じうするとはいえ、美しくあるいは等しくある在り方において真実在とは異なり、絶えず変化する。したがってこれらはaに当てはめることができる。ところでこの種の存在は、手で触れ目で見るなど、一般に感覚の対象となりうるものである。これに対し、先の同一的なものは思惟による以外とらえることのできないものである。これらのことから、われわれは存在について第二の分類を持つことができよう。

(2)　i 見られるもの（感覚によってとらえられる）――一時も同一的でない

ii 見えないもの（思惟によってとらえられる）――常に同一的である

この分類に、類似性や親近性があるということで魂と肉体を当てはめると、肉体は i の「見られるもの」、魂が ii の「見えないもの」の系列に入ることは明らかである。これら二つの分類を一つにすると、同一的かどうか、見られるかどうかを共通項とした推論の形で、次の二つの系列を導くことができよう。

分解的―非同一的―見られるもの―肉体

非分解的―同一的―見えないもの―魂

したがって、ここから魂は非分解的であり、死後に分解飛散することはない、と結論することはできるのである。ところがソクラテスは、すぐに結論を導くことをせず、さらに別な視点からの二つの説明を加えて、魂と真実在の親近性を改めて強調するのである。その一つはエンペドクレスの「等しきものは等しきものによって」の方式を思わせる説明で、純粋に魂だけになって考察する時は、純粋で永遠で不死で同態を保つものへと向かい、自らも同一的で変化のないものとなる、というものである。いま一つは、魂と肉体が共にある場合、魂が肉体を支配するのが自然の定めであり、これは神の死すべきものに対する関係と同じだ、とするものである。この二つの説明により「神的で、不死で、思惟の対象であって、単一の相を保ち、非分割的で、常に自己自身と変わることなく同一性を保持しているもの」と魂の類似していることが確認されるのである。

もっとも、魂が肉体を支配する定めにあるという説明は、これまで繰り返されてきた肉体の束縛や真理探求を妨げるという主張と反することになる。だが、魂が肉体を支配すべきであることは、『ティマイオス』によれば創造主の配慮によるものであり、プラトン対話篇のいたるところに見られる思想である。となると、この不一致の原因は当為と現実の食違いに求めるべきかも知れない。自然本来のあり方としては、魂が支配すべきであることは真理である。だが、そうあるべきであるということは必ずしも現にそうであることを結果しない。これが現実であろう。この食違いが主張にも不一致を見せたものと思われる。

このように、魂と恒常的な真実在との強い親近性が認められることにより、魂が分解飛散するものでないことが結論されるのである。そしてこのことが、真実在を探求する哲学者に死後の期待を抱かせる理由ともなるのである。なぜなら、死によって魂は、生前心掛けてきた肉体からの離脱、つまり浄めを完成する訳であり、完全な意味で神的で不死で知的な対象と一つになりうるからである。これに反し、肉体的なものにとらわれ、これを断ち切ることのできないものには、牢獄であるべき肉体もかえって安住の地となるから、これらの魂は、ペネロペの機織にも似た終りのない肉体の遍歴を繰り返すことになるのである。

これに続けて、ソクラテスは死後の応報を語る。死後の審判や応報の思想は、一〇七c以下でも再び語られるが、他に『ゴルギアス』(五二三a以下)や『国家』第一〇巻のエルの物語にも見られる。もし死後における前生の報いに力点を置いてその物語を聞くと、単なるミュートスにすぎないように考えられよう。だが『ゴルギアス』でソクラテスは、自分にとってこれは未知のことを物語るミュートスではなくロゴスだと述べているのである。この点は現在の生に中心を置いて読むと明らかになるだろう。つまり、ソクラテスはここで現在の生き方を戒めているのである。その生き方が死後どのような報いとなって現われるかは神の意志にかかることであって、徒に憧れたり恐れたりすべきことではない。それよりは、現在のこの生を正しく生きることに努めるべきである。だが、まことよく、正しく生きるためには、善美なることの知が必要であろう。したがって、まず真実の知を愛し求めること、つまり哲学することが肝要とされるのである。そして、その結果として、真実哲学をして生きてきたのだという充実感と自信が、未知の生にも期待を抱かせるのである。そこには「まこと善美なる神がよき魂を嘉し給わぬことはありえない」という確信が見られるであろう。この確信を支えるものとして、哲学者の魂はその対象である神的にして恒常的な真実在と親近性を深め、同族性を獲得しうる、というロゴスがあるのである。

▼シミアスの反論――魂調和説

以上でソクラテスの弁明とそれを受けた不死の証明は一通り終わる。そして、シミアス、ケベスの疑問も、親近性に基づく証明によって一応解消したことになる。だが、非分解的なもの・神的なものと親近性があるとはどういうことなのか。常に認識の対象としているものとは、ある意味で親近性を持つと言える。しかし、そこから存在的にも親近性を得ると簡単に言ってよいものだろうか。その対象が行為の目標でもあって、当然そこには接近行為が含まれているというのであればまだ理解できよう。だが、それとて親近性とか同族性を客観的事実として認めるには困難がある。死の世界と同様、神的な状態の達成については「今のこの生において確実なところを知るのは不可能であるか、あるいは全く困難なこと」(八五c)なのである。したがって、これに対しいろいろと可能的な反論が提出されるのは避けられないであろう。また、それら反論に充分応えることも、哲学的議論にとっては重要なのである。

われわれはオルペウス教―ピュタゴラス派の教説を根拠にするという安易な道は断った。この教説は神のみが理解しうるロゴスで、人間の理解を超えたものであるが、信じてしまえば、安んじて身を委せられる大船であろう。だが、それは、われわれ人間にはミュートスであってロゴスではないのである。ミュートスに身を委ねることのできない者にとっては、道は一つ、「人間が理解できる説の中で最も確実で、最も論駁されないものをとり上げ、あたかも筏に乗って大海を行く危険を敢えてするように、この説に身を委せて、この生の海原を渡り切らねばならない」(八五c―d)のである。そのためには、反論の吟味にも耐え、今の段階で最も確実とされる筏を見いださねばならない。そして、その過程で登場するのが、シミアスとケベスの反論である。

シミアスの反論は、魂を琴の調和に類比させるもので、通常、調和説と呼ばれている。

楽音の場合、調和(harmoniā)は目に見えぬもの、非物体的なもの、そして、美しい楽音にあっては神的とも言えるものであり、これに対し琴や絃は、目に見える物体であり、やがて滅びるものである。その限りでは、調和と琴・絃の関係は魂の肉体に対する関係と類比させることができる。ところが調和は、琴・絃が壊れると、それだけで残ることはせず、一緒に滅びてしまうから、この類比からすると、魂もまた、肉体を離れた時には、もはや存続しえないのではないか、という疑問が生ずるのである。

この類比を支持するものとして、シミアスは、魂を調和と見なす学説のあったことを暗示している。すなわち、われわれの肉体は暖―冷、乾―湿のような対をなす反対性質からなり、それら反対性質が、あたかも絃の張りが調節されるように、互に均衡のとれた状態に置かれる時、そこに調和が現われ、これが魂である、というものである。これは一見巧みな類比で、人びとに受け容れられやすい説であることはアリストテレスの言をまつまでもない(『霊魂論』四〇七b二七以下)。もっとも、この説が誰の、もしくはどの学派のものであるかは判然としない。だが、ここではピュタゴラス派の思想が背景となっているということだけは、否定できないであろう。

この類比が許されるとなると、魂という調和は、たとい神的なものとされているとはいえ、肉体の構成要素(絃)が均衡を失すればもはや存続しえない、それのみか、肉体に先立って存在することすら不可能になる。調和が琴を離れてはありえぬごとく、魂も肉体を離れてはどこにも存在しえないのではないか、というあの「子供じみた恐れ」が再燃するのである。

もっとも、調和説とソクラテスの説を対応させて考えられるかどうかは問題である。親近性に基づく論では、魂の非分解性を、それが非合成的であることから導き出していた。だが調和説の魂は、肉体の構成要素の混合であり、合成物である。また、調和説に見られる魂の肉体依存からは、魂の支配性など考えられないであろう。その他、小さな食違いは多く指摘できそうである。これを見ると、この反論を親近性の論に対する批判と考えるのは適切ではなく、むしろ、それに対抗するものとして異なる立場から出された説と見るべきであろう。

▼ケベスの反論――機織師と上衣の比喩

死後における魂の存在を疑問視する反論は、ケベスからも出される。ケベスも比喩を用いるが、シミアスとは基本的なところで異なっている。すなわち、調和説では魂は肉体に依存していたが、ケベスは、魂が肉体よりも強く、持続的であることを認め、これを前提として議論を進めるのである。

ケベスが魂と肉体の関係について用いた比喩は、年老いた機織師と彼が織りなす上衣の関係である。年老いた機織師は、これまで多くの上衣を着つぶしては、また新しく織り直してきたことであろう。だから、機織師のほうが上衣より強くて持続的であることは疑う余地がない。しかし彼もやがて衰弱して死んでいくであろう。そして彼が死んだ後には、最後に身につけていた上衣は残るはずである。この二つの点、すなわち、機織師（魂）が上衣（肉体）より永続性があるということ、また、人間よりも製作物のほうが後に残るという経験的事実から、形式的には次のように推論できそうである――人間（魂）より上衣（肉体）のほうが弱く短命であるのに、その上衣が死後も残るのであるから、それより強くて永続的な人間は、滅びることなくどこかに存在するはずだ、と。すなわち、魂の後在が証明されたように見えるのである。

ソクラテス像（ローマ・カピトリーノ博物館）

だがこの推論は正しくない。持続（生き続ける時間）と時点（生を終える時）の混同が見られるからである。老人に限らず、一般に人が死んだ時に上衣が残るということは、ある特定の時点で、ある個人とある上衣のどちらが残り、どちらが滅びたかを示しているだけである。個人や個物の持続については、その人がその上衣より長いことも、上衣がその人より長いこともあり、これは偶然的なことに属する。この場合、「上衣」と「人間」の持続性の違いは全く関係がない。逆にまた、「人間」と「上衣」のどちらがある時点で生き残るかを問うことも無意味なのである。

ケベスにおいても、魂は永続的なものである。だが、人間が死んだ後に上衣が残るという事実を、一般の人のようには考えないのである。肉体は魂が着つぶしては新しく織り直していくものなのであって、単一の肉体の持続が考えられている訳ではない。肉体は、毛髪も肉も骨も、まだ生きている間にも流動し、絶えず新しくなり、かつ古くなって失われていくのである（『饗宴』二〇七d―e）。そして、新しくしていくのが魂の機織師なのである。このように魂が肉体を作るのであるから、肉体が現にある以上、製作者である魂はそれに先立って存在していなければならない、つまり魂の先在は明らかである。ただ、この機織師は年老いて死んでいくのである。その時は、残された上衣も、織り直されることがもうないから、やがて滅びていくであろう。だが、肉体は常に消滅を経験しているのであるから、結局、死とは魂が滅びることに他ならないのである。

ここでケベスが主張しているのは、魂と肉体のどちらが強くて永続的であるかということではなく、魂そのものの不死なること（それだけで存在すること）が直接証明されるべきだ、ということなのである。この証明がないうちは、いかに多くの肉体を遍歴しうるとしても、そしてそのことが魂の死後の存在を予想させるとしても、最後の肉体を残して衰え滅びる可能性は依然として残る。つまり、魂後在の証明はまだ完全ではないのである。

▼シミアスに対する反論

シミアスとケベスの反論は、同席した人びとから死後の生についての確信を奪い去り、再び不安の中に陥れることになる。ソクラテスは彼らの心の動きをすぐ察し、これが因でロゴス不信に陥らぬよう穏やかに訓し、あたかも敗走する兵に対するように、彼らを励ますのである。これが「ロゴス嫌い（misologos）」への戒めである。

われわれは、誠実で信頼できると信じきっていた人が、意外にも信用できないことを発見し、信頼を裏切られるということを度々経験すると、人間は一人として信じられないと思うようになり、すべての人間を憎んで人間嫌い（misanthrōpos）になる。これと同じように、ある言説を頭から真と信じ込み、やがてそれが偽であることを知るという経験を度々繰り返すと、そのうちには、言説にもその対象にも、なに一つ確かなところはないのだと思うようになり、ロゴス嫌いになる。これは人間にとって最大の災悪であるが、しかし、かかる不幸を招いた原因は人とかロゴスにあるのではなく、自分に相手を見きわめて正しく交際する知識がなく、また、議論を正しい方法で展開することを知らないため、ただ盲目的に信じてしまったことにある。つまり、原因は自分にあるのだから、自分のいたらなさをよく省みて、改めて勇気を奮い起こし、真理の探求に向かわなければならない。

このように訓して、ソクラテスは、自らもこれまでの議論の方法を反省し、その上でシミアスの調和説に対して反論を試みるのである。

調和説の趣旨は、魂は肉体の構成要素から生まれたいわば調和であるから、肉体より先に滅びる、というものであった。しかしシミアスは、想起説で説かれた魂の先在をも全く疑問の余地のないこととして認めており、その間に矛盾のあることには気づいていない。魂が先在するということは、調和説では、調和が琴・絃に先立ってあるということなのである。

この点をソクラテスに指摘されると、シミアスはすぐに矛盾を認め、調和説を「論証もなしに、もっともらしさと見かけのよさがあるということで取り上げたのだ」として撤回してしまう。恐らくシミアスにとっては、調和説よりも、魂が先在すること、そしてその根拠とされた真実在があるということのほうが、議論の前提として確実な論だったのであろう。だが、ソクラテスはそれで反論を止めることはせず、調和説批判を続けていく。その議論は複雑な構造になっているが、整理すると次のようになる（番号は前後しているが、これは原文に現われた順でつけたものである）。

(A)調和を含め、一般に合成されたものは、それを構成する要素と別のあり方をしないし、作用も別ではない。したがって、調和は要素に支配されるものであり、それと反対の動きをしたり音を出したりはしない。

(B)調和は、それがいかに調律されたかで、そのあり方が定まってくる。

まず（B）から始めると、「ある調和がより多く、またはより少なく調律されているなら、〔それが可能である場合には〕それはより多く、またはより少なく調和であるだろう（B1）」。だが、「魂においては、ある魂が他の魂より、僅かでもより多く、またはより少なく魂であるということはない（B2）」。（B2）を魂＝調和の線で改めると、「ある調和は他の調和より、多くまたは少なく調和であることはない（B5）」となり、（B1）と矛盾することになる。

また、魂においては「ある魂はよく、ある魂は悪い（B3）」とされる。そして「よい魂は調和を持ち、悪い魂は不調和を持つ（B4）」と考えられている。（B4）は一般に自明なこととして認められているものである。ところが、（B1）より「より多くまたは少なく調和であることのないものは、より多くまたは少なく調律されているのではない（B6）」。しかも「より多くまたは少なく調律されていないものは、同じ程度に調和を持つ（B7）」。したがって、（B2）と（B5）より、「魂には、より多くまたは少なく調和とか不調和を持つことがない（B8）」。ところで、（B4）により調和・不調和を善・悪に置きかえると、（B8）は「魂にはより多くまたは少なく善とか悪を持つことはない（B9）」と改められる。ここから「魂は悪を持つことはない（B10）」、したがって「あらゆる生きもののあらゆる魂は等しく善である（B11）」と結論される。（B11）と（B3）は相反するから、この説は正しくない。

次に（A）については、先に述べられた魂の支配性（八〇a）に基づいて推論がなされる。すなわち、「魂は肉体の感情を抑えたり、反対したりすることができる（A1）」。ところで前提（A）から、「調和はその構成要素と異なった状態にあることはできない（A2）」し、「調和は、その構成要素と異なる仕方で、作用を及ぼしたり受けたりできない（A3）」のであるから、「調和はそれ自体の構成要素を抑えたり反対したりはできない（A4）」。したがって「魂は調和ではありえない（A5）」、つまり調和説は正しくないことになる。

ただ、ここで、ソクラテスの反論が魂の構成要素を肉体的な感情とし、シミアスが挙げた暖―冷、乾―湿などの対立性質としていないことに注意すべきであろう。そこから結論されるのは、したがって、「魂はもろもろの感情の調和ではない」ということであって、いかなる調和でもないとまでは言われてないのである。この点に疑問が残るであろうが、これは恐らく、ソクラテスの視点が人間としての魂の機能におかれ、魂を自然学レベルでとらえる意図がないためで、したがって、魂の支配を言う場合、最初から欲望や感情の抑制を念頭に置いていたからであろう。この点は、ソクラテスの証明を無条件で認めたシミアスにしても同じことである。

▼ケベスへの反論——原因の探究

ケベスの主張は、死後の魂についての安心感というのは、所詮、論理的根拠のない信仰に他ならず、かりに魂が神的なもので、人間として生まれる前にも存在したことを物語ったとしても、魂が他より長生きで多くのものを見てきた、と言うに留まる、したがって、魂そのものの不死を証明しないうちは、死後の生に確信を抱くことはできない、というものである。ところがソクラテスは、これについては生成消滅の全体に亙る原因の探索が必要であると述べ、ケベスもこれを了承するのである。魂の死後の存在証明に生成消滅の原因というのは、一見遠廻りのようであるが、実はこの原因の探究が、魂不死の証明につながると同時に、『パイドン』の核心をなす議論となっているのである。

議論はまず自然学的説明方式への疑問に始まる。ソクラテスは若い頃自然学に憧れ、生きものの形成や成長の現象から、思考や感覚の作用、そして天界や地上の諸現象に至るまで、それぞれが何によって生じ、消滅し、またあるのか、その原因となるものを求めることに熱中したことがある。そして、人間が大きくなるのは、食物の摂取で肉には肉が、骨には骨が加わるというふうにして嵩を増すからだ、という類の説明で原因が究明されたものと考えていた。また、一〇は八よりも二が加わることによって多い、と考えて満足していた。

だが、この種の説明を求めていくなら、ひとはアポリアに陥るようになる。というのは、たとえば一に一を加えて二になるという場合、一方の一を他方の一に付け加えることで二になる（つまり二が生ずる）とする通常の説明では、二の生成が理解できなくなるからである。すなわち、一であるものが他の一であるものに近づけられると、どうして二になるのか、また、もし互に近づけて置くことが二になる原因だとすると、一を切り分けて二が生ずる場合は、切り分けることが二になる原因となり、かくて、二になる原因として「付け加える」と「切り分ける」という相反するものが挙げられることになる、という困難を招くからである。その結果、この方式によっては混乱を招くばかりで、「私は、どんなものについても、それが何によって生じたり、滅びたり、あったりするかを知っているという確信が持てない」（九七b）と思うようになったのである。

このソクラテスに期待を抱かせたのはアナクサゴラス説である。彼がペリクレスの庇護を受けてアテナイに滞在したことはすでに述べたが、その著書は容易に入手できる状態にあった（『弁明』二六d―e）。その中で、万物に秩序を与え、その原因となっているのはヌース（知性）である、と説かれていることを聞いて、ソクラテスは

「もしその通りなら、ヌースは秩序を与えるに当たって、万物もそれぞれのものをも、最もよい状態にあるような仕方で秩序づけ配置しているはずだ……だから、個々のものについて、それがどのように生じたり、消滅したり、あったりするのか、その原因を見いだそうと望むなら、そのものについて、どのような仕方であるのが、またはどのような仕方で作用を及ぼしたり受けたりするのが、それにとって最善であるか、この点を見いだすべきである……そして、この論理からすると、人間が本来考察しなければならないのは、他でもない、その人

間自身についてもその他のことがらについても、ただ、〔それにとっての〕最もよいこと、つまり最善のことだけだ……」（九七c—d）

と希望をふくらませていった。だが大きな期待は、読むにつれ大きな失望に変わっていったのである。すなわち、アナクサゴラスのヌースが、万物を秩序づける原因として少しも機能していないことを知ったからである。

アナクサゴラスも、他の自然学者と同様、万有の原因を物質に求め、それらの運動で生成がいかに行なわれるかを説明するばかりで、ソクラテスが求める原因、つまり、それぞれのものにとっての最善と万物に共通の最善、したがってまた、それ以外ではありえないという必然性、を示すことがなかった。ソクラテスにとって、彼が牢内に坐っているのは、骨や筋肉や皮膚がどうなっているかが原因なのではなく、ソクラテスにとっては、逃亡せずに留まるのが一番善い《アガトン》ことであり、そうすべき《デオン》だと考えられたからである。この真の原因に気づかず、ただ「それなしには真の原因も原因たりえないもの」(conditio sine qua non 必要条件）を唯一の原因と考えるところに、ソクラテスの不満があったのである。

たしかに、大地が中空に留まっているためには、空気が支えているとか渦巻運動が大地の周囲にあるとかすることが必要であろう。その限りでは、渦巻や空気の支えは大地が浮いているための必要条件ではある。だが、万有が最もよくあるように配慮されているというのであれば、そのようにあることを可能にしている力こそ究極の原因とされるべきである。これは宇宙の目的論的説明の要求であり、ここにわれわれは、レウキッポス＝デモクリトスの機械的自然観によって完成されたイオニア自然学との訣別を認めるのである。

▼第二の航海

ソクラテスが満足できる原因は誰一人教えることができなかったし、またソクラテス自身も見いだすことができなかった。そこでソクラテスは、やむをえず次善の策を講ずることになる。これが彼の言う「第二の航海」である。

もっとも、「第二の航海」の意味は古くから二様に考えられ、論議の的であった。もしこれを、一回目の航海に失敗し、改めて安全な航海を企てるという意味にとるなら、それは文字通り第二の航海であるが、航海中風が落ちて、やむをえず櫂で漕ぎながら目的地に向かう、という意味にとるなら、それはむしろ第二の航行法とでも言うべきであろう。ここでは後者の意味に解するのがよいように思える。なぜなら、生成消滅の原因という目的地に向け探求の航海はすでに始まっていたが、予定されていた航行手段が行き詰ったため、急遽次善の策を講じて航海を続ける、というのがここの趣旨だからである。

ソクラテスがとった次善の策は、ロゴスに逃れて、ものごとの真相をロゴスの中で探求するということである。ロゴスの意味は明確に示されているとは言えないが、おおむね言論の理論的展開を考えていると言ってよいであろう。そして、そこでは定義の形で、あるいは命題の形で真相が示されるから、これを定義ととっても、命題ととっても差支えはない。ただ、それらを可能にする理論的展開が、ここでは大事なのである。

ところで、具体的事物を離れてロゴスの中で考察するというのは、事物そのものをとらえるのではなく、事物の影を見ているように思えるかも知れない。しかし、ソクラテスはこれを強く否定する。具体的事実《エルゴン》における考察は、確かであるように見えて、かえって精神の目を見えなくするだけだ、と主張する。これは、感覚に頼る探求は混乱と迷いをもたらす、というソクラテスの基本的な考え方と一致するであろう。

真相は感覚に現われるものではないのである。にもかかわらず自然学者たちは、具体的（感覚的）事実を確実であるとし、これに頼ることにより、真相を暗く遠いところへ追いやり、探求の航海を座礁させたのである。これは、いわば、日蝕を肉眼で見たために目を損ったようなものである。そこで、この過ちを二度と犯さないために、あたかも太陽を水に映して見るように、ことの真相をロゴスに映して探求しようというのが第二の航海である。その具体的な方法は、先の引用箇所（八五c—d）でも触れられたように、現存する説の中で最も強力であると判断されるものを前提として立て、矛盾が現われるまでは前提を認めて、これに一致するものは真と考えていく、そして、前提そのものを証明する必要が生じてきたら、それより上位の、その時最善と思われる説を求める、という方法である。これは、普通、「仮説法」と呼ばれているものである。

ここでソクラテスが最も強力な論と判断し、ロゴスの大海を乗り切る筏として採用したのは、「美や善や大などの形相（エイドス）がそれ自体として存在する（A）」ということである。これはソクラテスが議論のたびに主張していたことであり、友人たちの間では疑う余地のない説であった（七四b、一〇〇b参照）。彼が身を委せるに足る安全な乗物と考えたのは当然である。ところがソクラテスは、これに続く説として、「美しいものどもは、他でもない、かの美そのものに与る《メテケイン》がゆえに美しい（B）」（一〇〇c）を示し、この命題の承認を求める。これを一般化すれば、「個物aがpであるのは、形相Pに与るからである」となる。これは前提（A）に一致する命題と言ってよいであろう。すなわち、前提（A）の措定は、（B）によって初めて原因探求の行程に乗るのである。だが、形相の存在を前提とすることは、原因の説明とどのような関わりがあるのであろうか。「美」に与るから美しい、と言うだけでは、ソクラテスが求める原因を答えているとは思えないのである。

ソクラテスは常々「……とは何か」の問をかけ、問われているものの本質的定義を求め続けた。その意図は序章でも述べたところである。すなわち、たとえば、われわれが正しいと言う場合、それは具体的な行為とか人を指してであるが、それらの正しさは、見る人によっても、政変などで社会環境が変わっても、正しくあるとされていたのが正しくあらぬとされるようになり、真実「正しい」とは考えられない。この経験の世界はプロタゴラスの相対主義の世界だとも言えるのである。しかし、全き相対主義に安んじてならぬことも、序章で述べた通りである。われわれにとって大事なのは、「正しい」と「正しくない」をはっきり区別することである。そのためには、上のような正しいとされていることがら、だが実際には正しくあるとあらぬの間を揺れ動いていることがら、とは別に、まさにこれこそ正しさであると考えられるものを物差しとして立てる必要がある。ソクラテスが定義の形で求めていたのは、この「まさに正しくあるもの」を明示することであった。それは真実正しくあるから、もはやあるとあらぬの間をさまようこともなく、常に同一的である、つまり正しいままである。これを用いれば、正・不正のけじめは明確に判定されるであろう。これを言い換えれば、ある行為が正しいとされるのは、この「まさに正しくあるもの」、あるいは「正しさそのもの」、によるということになる。これが形相原因説の意味である。したがって、(B)の主張は、前提の含意を展開させたということで、前提と一致しており、それゆえ、また真とされるのである。これに反し、「美しいものは形によって、あるいは色によって美しい」とか、「大きいものは頭によって大きい」と言うのは、前提である「美そのものが存在する」、「大そのものが存在する」のいかなる形の展開でも、適用例でもないから、一致しない、したがって真でないとされるのである。

ところで、形相による原因の説明は、ケベスの反論に応えて魂の不死不滅を証明しようとするものであるが、形相の議論(イデア論)として見た場合、それはソクラテスが求める原因、すなわち「かくあることがそのものにとって最善であること」を可能にする原因を、いかなる形で明らかにしているのであろうか。というのは、美しいものは「美」に与ることで美しい、大きいものは「大」に与るから大きい、と言うだけでは、物体を非物体的なものに置き換えただけで、自然学者の機械論的説明と大差ないように思えるからである。つまり、そこには「なぜ与るのか」

の説明がないのである。ただ形相に与るがゆえにと答えるのは、ソクラテスも言うように「単純で、能のない、愚直な」(一〇〇d)説明であろう。

だが、この関係も、万物が最善と完全を目指すという目的論的観点で見られると、全く違った光景となって現われてくる。すなわち、形相に与るという一見機械的な手続きが、「善」の光の中に入ると一つ一つ意味をもってくるのである。そしてその時、形相の存在理由も顕わになってくる。つまり、善の秩序の下では、形相は個物の倣うべき完全性の典型の意味を担うことになるのである。善のイデアがイデアのイデアであり、イデアに存在を与え、それについての認識を可能にする、と言われる所以である(『国家』五〇八e以下)。

イデア論についてはこれまでも、また今なお、議論の調子は低くなることを知らぬ状態である。それは哲学の中心問題が含まれいるためである。上の説明も、もっと厳密に規定すべき点、詳細に述べるべき点が多いことはもちろんであるが、本書ではこれ以上立ち入ることは控えたい。

▼形相原因説

さて、形相の一つ一つが存在すること(A)、そして、形相以外の事物は、形相に与ることによって、形相と同じ名で呼ばれる(形相の特性を持つ)ようになること(B)を同意した上で、本題の証明に入っていくが、ここで形相原因説の説明がなされる。

形相論の定式によると、「シミアスが、ソクラテスより大きくパイドンより小さい」という場合、それは、シミアスがシミアスであることによって、より大きいとかより小さいとか言われるのではない。なぜなら、大きいことは、シミアスであることと直接関係がないからである（もしそうなら、まだ小さかった頃はシミアスでなかったことになる）。だから、シミアスは、シミアスであることをやめることなく、「大」と「小」の両方を持つことができるのである。これは事物の偶有性、つまり、その特性がそのものの本質とは直接関わりのない場合、に見られる関係方式と言えよう。だがこのことは、「大」そのものが大でも小でもあるということや、われわれのうちにある「大」、つまりわれわれの大きくあるという状態そのものが、小さくもあることを意味するのではない。「大」は反対の「小」を受け容れはしない、それのみか、「小」がくると退いて場所を譲るか、滅びるかするのである。「大」を受け容れ、その上で「小」を受け容れてもなおシミアスでありうるのは、シミアスなる個人が形相とは位相の異なる存在だからである。一般に経験界の個物にはこのことが可能である。

だが、形相と個物の関係はこの方式だけではない。たとえば雪は、雪であると同時に、冷たいという性質を、雪であることと不可分なこととして備えている。これを形相論の方式で表わすと、雪は必然的に「冷」に与っているということになる。雪にとって白くあることは必然的でない。黒ずんでも雪は雪でありうる。しかし、熱い雪というのはありえない。したがって、雪においては、「冷」に与る場合と「白」に与る場合とでは、形相との結びつきは同じでないことになる。

ところで、必然的な結びつきにある場合も、雪の中の「冷」が、「熱」の接近と同時に、退くか滅びるかするのは他の場合と同じであるが、ただこの場合には、「熱」の接近と共に「雪」そのものも退くか、滅びるかするのである。「奇数」と三についても同様である。三は奇数と同一ではないが、「奇数」と同じ名を担い、奇数とされている。つまり、三は「三」に与ると同時に「奇数」にも与っているのである。そしてそれは、「三」が「奇数」と本質的に関与し、したがって奇数であるという特性が三の本有性ともなっているからである。そこへ「偶数」が近づくと、むろん「奇数」は退くが、同時に、それに与っている「三」も、それ自身は「偶数」と反対ではないのに、退くか滅びるかする。偶数の三は存在しないからである。これを一般的な形で表わすと、〈形相は自分が占有する事物に、自分と同じ特性を持たせると同時に、自分における対立性質をも持たせる〉ということになる。

この関係は、先の愚直で能のない方式とは別な説明方式を、生成の原因について与えることになる。すなわち、何かが熱くなるのは、初めの方式によれば、〈「熱」に与ることによって〉ということになるが、この方式では、もう少し手のこんだ形で、「その中に火が生ずるから」と答えることになる。また病気になるのは、「病気」によってではなく、「熱が生ずるから」ということになる。

だが、この新しく提示された説明方式については、いささか疑問がない訳ではない。第一印象として、それは先に否定された物質的原因による機械論的説明を思わせることであろう。そして、偶然かどうか、いずれにも、「気のきいた」とか「知恵ありげな」とかの類似した表現が与えられているのである。また、「熱」のように反対を持つものを原因とした場合、それと反対のものが同じ現象の原因となった時には（たとえば寒さが病気の原因となる場合）、「反対が近づくと退くか滅びるかする」という方式により、もはや原因たりえなくなるのではないか、ということも考えられる。

では、何故ここでそのような説明方式を提示したのであろうか、また、二つの方式をいかに調停させるのか――こういったことが問題とされるであろう。

まず、このような方式を第二のものとして付け加えた理由は、ここの議論の目的にある。すなわち、この議論はすべて魂不死の証明を意図してなされているのであるが、そのためには、後述のように、第二の方式が必要なのである。また、第二方式における原因であるが、これは形相原因説においては補足的なものと見るべきである。何かがｐになることの説明は、先の愚直な説明、すなわち「形相Ｐに与ること」でよいが、第二方式では「それがいかにして形相Ｐに与るか」を補足的に説明するのである。身体が「病気」に与るのは、身体に熱が生じたからで、その限りでは、熱が身体をして「病気」に与らしめた、つまり、ある意味で原因と言えるのである。

▼形相原因説による不死の証明

第二方式が認められると、肉体が生命を持つことの説明が容易になる。第一方式によれば、「生命」を持つことによると答えざるをえないが、これは同語反覆でしかないであろう。しかし第二方式によれば、肉体に「魂が入るから」と説明できる。三が奇数であるごとく、魂にとって「生命があること」は本質的なことなのである。したがって、「魂は、自分が何を占有する場合でも、いつもそのものに生命を携えてやってくる」(一〇五d)のである。このことから、魂を持つもの(有魂のもの)は生きていることになる。ところで、死は生の反対である。それゆえ、三が偶数を受け容れなかったと同様、魂も死を受け容れないのである。そして、三がそのゆえに「非偶数的」と呼ばれたように、魂は「不死」ということになる。

これで不死の証明は一応完了したことになる。だが、ケベスは、これで納得のいく証明が与えられたと、心から思ったのであろうか。この証明は、簡単に言うと、魂は生命を本質的なものとして持つ、したがって生の反対(死)を受け容れない、それゆえ不死である、ということになるが、これはきわめて形式的であって、あの論理に拘泥するケベスが、かくも簡単に証明の完了を認めたことは不思議である。それだけのことであれば、生命が魂に対し本有性の関係を持つと認めたことで、すでに証明は済んでいるはずである。なぜなら、生命のあることが魂にとって本質的であれば、生命のない魂は、熱い雪と同様、存在しえないからである。

また、証明の完了という点についても、三と奇数、火と熱の例と類比的に考えて、いま一つの証明が未完であることを指摘できるのである。すなわち、先の議論では、三の「奇数」に「偶数」が迫る時、「奇数」と共に「三」もまた退くか滅びるかする、とされたのであるが、同じように、生きもの(有魂のもの)に「死」が近づく時には、「生」が退くか滅びるかするのと同時に、「死」とは直接反対の関係にはないが、死と反対である「生」と本質的に関わっている「魂」もまた、退くか滅びるかすることになる。その際、退くだけであればよいが、いま一つの「滅びる」可能性がまだ残されているのであるから、形式的にも完了したとは言えないのである。つまり、不死であることは認められたのであるから、次に、不死なるものはまた不滅でもある、と認められる必要があるのである。言い換えると、「生」は魂のいわば本有性であるから、魂が魂である限り、それが不死であることはすでに含意されている。だから、魂が存在すればいつもその性質を持っていることは明らかである。だが、それは、その魂がいつも存在していることとは別なのである。これは、初めの不死の証明に対するシミアス、ケベスの反論が要求していたことでもあった。

ところがケベスは、「不死なるものは永遠なるものであり、永遠なるものは破滅を受け容れない」という論理で、この点は自明であるとして済ませてしまうのである。そしてこの点でも、上と同じように、二人の間ではすでに証明ずみの命題を前提としている、との感を拭い難い。ここの議論を整理すると、

(1)不死なるものは永遠なるもの(aidion)であるのに、それが破滅を受け容れるなら、破滅を受け容れぬものはない。

(2)破滅を受け容れないものがある(たとえば神とか生の形相)。

(3)不死なるものは破滅を受け容れない、つまり不滅である。

となる。(1)は仮言判断をなしており、(2)によってその後件が否定されているから、結論として(3)で前件が否定される、という推論をなしていて、論理形式としては問題がない。ところが(2)において、破滅を受けぬものの例として神や生の形相が挙げられた時、それに「他にも不死なるも

のがあればそれも」という補足がなされているのである。これを忠実に読めば、「不死なるものは破滅を受け容れない」という前提がすでにあることを予想させるであろう。とすると、これも、(1)だけで説明が済んでいるものを、推論形式だけを整えたとも考えられるのである。もしそうだとすると、(1)が成り立つためには、あらかじめ「不死なるものは永遠なるものである」ということが認められていなければならないであろう。だが、その証明はどこにも示されていないのである。

恐らくは、これまでの親近性の論などから予想されるように、ソクラテスにとっては、魂の不死性と真実在の永遠性とは、切っても切れないものでなければならなかったのであろう。それは、ソクラテスの結びの言葉が示唆しているように、「美そのもの」とか「善そのもの」の存在を認めるという前提そのものを、さらに明確に探究していくうちに、次第に疑いえぬものとなってくるものなのである。さればこそ、全時間的な魂への気遣いを、ソクラテスは声を大にして語るのである。

▼結び――ソクラテスの死

以上で証明を終えたソクラテスは、続いて死後の魂の審判と運命について語る。その内容は直接原文で接するのが最良であろう。この種のミュートスはプラトン対話篇によく出てくるのであるが、『パイドン』においては、これに大地の構造についてのかなり科学的記述が続いているのが特徴であろう。そしてこの物語は、この大地と真実の大地との対比に及んでクライマックスに

医薬の神アスクレピオス神
（大英博物館）

達する。この作品の随所に見られる真実在界と感性界の対比を思うと、この記述は象徴的であろう。

ところで、この種のミュートスを語ったからといって、先述のように、ソクラテスがそれを信じていたと考えてはなるまい。むしろ、「死後のことが、事実、私が今語った通りであると断定するのは、知性のある者にはふさわしくない」（一一四d）と考えているのである。ただし、魂の不死が疑いえなくなった今となっては、肉体からの解放を目前にして、魂とその住むべきところについてミュートスのようなことを心に描いたとしても、決して不適当とは言えないであろう。ソクラテスが主眼とするところは、もちろん、この生をよく生きることである。ただ、この生において、真実の哲学によって肉体に関わる虚飾を取り除き、魂に固有の飾り、すなわち思慮、正義、勇気、自由、真実で飾り立て、自分の魂にまこと確信を抱くことができた時には、たとえ未知のことであるとはいえ、死後にも大きな期待を抱くのは自然の成り行きであろう。そこからは哲学的生を完成した者の、白鳥にも似た歓びの声を聞きとることができるのである。

ソクラテスが語り終えた時、クリトンは、ソクラテスに、子供たちのことで言い残すことはないかと尋ねる。これに対する答は、クリトン初め友人たちがそれぞれ自分自身のことを気遣うこと、それがこれまでの議論を生かすことであり、ソクラテスへの最大の好意である、というものであった。彼にとってまこと自分のものと言えるのは精神の子だけであり、愛さるべきは優れた者だけだったのである。血のつながりも、彼には、それゆえに愛さるべきものたりえなかったのである。これは『弁明』の結びの言葉（四一e）とも一致するであろう。

死を前にしたソクラテスの態度は、全く旅立ちを悦ぶ人のそれであった。沐浴でさっぱりと身を浄めてから従容として毒を仰ぎ、脚から次第に麻痺してくるまでの間、泣き悲しむ人びとをかえってたしなめるほどであった。その最後の言葉は「アスクレピオス神に鶏を供えて、借りを返してほしい」というクリトンへの頼みだった。その借りというのが、この肉体という病を癒やしてもらったことを指すのか、それとも実際に治療の借りがあったのか、定かではない。そして『パイドン』は、ただ一言、「これが、われわれの友であり、われわれの知る当時では最も優れた、その上、知においても正しさにおいても卓抜の人物の、最期だった」という言葉で結ばれている。

◆参考文献（本書に関係のある主なもの。出版年は初版を示す。）

A　テキスト翻訳

1　文庫

『ソクラテスの弁明・クリトン』久保勉訳、岩波文庫、昭2
『ソクラテスの弁明・他一篇』山本光雄訳、角川文庫、昭29
『ソクラテスの弁明・クリトーン・パイドーン』田中美知太郎・池田美恵訳、新潮文庫、昭43
『ソクラテスの弁明・饗宴』戸塚七郎訳、旺文社文庫、昭44
『ソクラテスの弁明・クリトン・パイドン』副島民雄訳、講談社文庫、昭47

2　全集・選集

『プラトン（1）』世界の名著6（田中訳「弁明」「クリトン」、池田訳「パイドン」他）中央公論社、昭41
『プラトン全集』第一巻（「弁明」「クリトン」「パイドン」他）岡田正三訳、全国書房、昭44
『プラトン』世界文学大系3（田中訳「弁明」「クリトン」、藤沢訳「パイドン」他）筑摩書房、昭47
『プラトン全集』第一巻、山本光雄編（山本訳「弁明」「クリトン」、村治訳「パイドン」他）角川書店、昭48
『プラトン全集』第一巻、田中美知太郎・藤沢令夫編（田中訳「弁明」「クリトン」、松永訳「パイドン」他）岩波書店、昭50

B　伝記・入門書・研究

『ソクラテスの思い出』クセノポン、佐々木理訳、岩波文庫、昭28
『ソクラテス』『プラトン』ジオゲネス・ラエルチオス、山本光雄抄訳（『世界の人間像』24所収）角川書店、昭41
『哲学者の笑い』山本光雄、角川選書、昭46
＊　＊
『ソクラテス』田中美知太郎、岩波新書、昭32
『ソクラテス』ジャン・ブラン、有田潤訳、白水社（クセジュ文庫）、昭37
『ソクラテスの死』山本光雄、角川文庫、昭42
『ソクラテス』G・マルティン、久野昭訳、理想社（ロ・ロ・ロ・モノグラフィー叢書）、昭43

『ソクラテスの死』R・グアルディーニ、山村直資訳、法政大学出版局（叢書ウニベルシタス）、昭43
『ソフィスト』田中美知太郎、講談社学術文庫、昭51
『プラトン哲学』J・バーネット、出隆・宮崎幸三訳、岩波文庫、昭27
『プラトン』山本光雄、勁草書房（思想学説全書）、昭34
『プラトン』ジャン・ブラン、戸塚七郎訳、白水社（クセジュ文庫）、昭37
『プラトン』戸塚七郎、牧書店（世界思想家全書）、昭39
『プラトン』斎藤忍随、岩波新書、昭47
『プラトン』G・マルティン、久野昭訳、理想社（ロ・ロ・ロ・モノグラフィー叢書）、昭47
『プラトン』アレクサンドル・コイレ、川田殖訳、みすず書房、昭47
『プラトン』藤沢令夫編、平凡社（世界の思想家3）、昭52

ソクラテス関係年表

紀元前	文化関係	政治・社会関係
四九〇	シモニデス、マラトンの勝利を讃える碑文を作る。エレアのゼノン誕生。	ペルシア軍の第二回ギリシア遠征。ナクソス、エレトリアを破ってアッティケに上陸、マラトン平野でミルティアデス率いるアテナイ軍に敗れる（九月）。
四八〇	悲劇詩人エウリピデス誕生。修辞家アンティポン誕生。彫刻家ミュロン、アテナイで活躍を始める。	クセルクセス率いるペルシア軍ギリシアに侵攻、アテナイのアクロポリスを破壊するが、テミストクレス率いるアテナイ艦隊にサラミスで敗れる（九月）。
四七七		デロス同盟が結ばれ、アテナイはその盟主となって、デロス島のアポロン神殿に海軍維持の拠金を備蓄する。
四七〇		オリュンピアのゼウス神殿建立始まる。
四六九	**ソクラテス**誕生。	
四六二	哲学者アナクサゴラス、アテナイに出て、ペリクレスの庇護の下、約三〇年暮らす。	エピアルテス、アレイオスパゴスの政治機能を縮小。ペリクレス、裁判官の報酬を制定。
四六一		キモン陶片追放。ペリクレス、民主党々主となる（春）。
四六〇	哲学者デモクリトス誕生。医学の祖ヒッポクラテス誕生。	リビュア王イナロスの求めで、アテナイ軍エジプトに遠征。

四五九	ソフィストのトラシュマコス誕生。　文章家リュシアス誕生。	アテナイ、スパルタ両国の対立意識強まる。
四五四		デロス同盟の基金がアテナイのアクロポリスに移される。
四五〇	エレアのパルメニデスとゼノン、パンアテナイア祭見物のためアテナイを訪問。	
四四八	喜劇詩人アリストパネス誕生。	アテナイ、ギリシアの実質的盟主となる。
四四七	イクティノスとカリクラテス、パルテノンを設計、建造に着手する。	ボイオティア反乱。アテナイ軍コロネイアの戦で敗れる。
四四三	歴史家ヘロドトス、トゥリオイ移住。　ソフィストのプロタゴラス、トゥリオイの法典起草。	ペリクレスの政敵ツキディデス陶片追放さる。
四三九	喜劇における個人攻撃禁止さる。	
四三八	ペイディアス、パルテノンに祀る金と象牙のアテネ像を完成。	パルテノン神殿完成。
四三二	**ソクラテス**、ポテイダイアの戦に出征。	ポテイダイアに反乱起こり大戦の因を作る。　アスパシア、ペイディアス、アナクサゴラス告発さる。
四三〇	クセノポン誕生。	アテナイにペスト流行、多数の死者を出す。
四二九		ペリクレス、ペストのため没す（秋）。
四二八	アナクサゴラス、ランプサコスで没す。	ミュティレネで反乱（春）。アテナイ軍ミュティレネを封鎖す（秋）。
四二七	**プラトン**誕生。　アリストパネス『宴の人々』を発表。	ミュティレネ降伏。

	ゴルギアス、レオンティノイの使節としてアテナイ訪問。	
四二四	**ソクラテス**、デリオンの戦に出征。歴史家ツキディデス追放さる。プロタゴラス没。	アテナイ軍ボイオティアに侵入、デリオンで敗れる（冬）。　スパルタ軍アンピポリスを陥す。
四二三	アリストパネス、**ソクラテス**を主人公とした『雲』を上演。	アテナイ、スパルタ間に一年の休戦が成立（春）。
四二二	**ソクラテス**、アンピポリスに出征。	クレオン、アテナイ軍を率いてアンピポリス奪還に向かうも戦死、スパルタのブラシダス将軍も戦傷死（夏）。
四一一	弁論家アンティポン、四百人会に加担した廉で死刑。	四百人会アテナイの民主制を倒し、スパルタと交渉を持つ（春）。　四百人会倒れる（秋）。
四〇七	**プラトン**、**ソクラテス**の教えを聞く。	アルキビアデス、アテナイに帰還し再び将軍に選ばれる。
四〇六	エウリピデス、マケドニアで客死。ソポクレス没。**ソクラテス**、将軍一括裁判の違法に反対する。	アルギヌッサイ海戦（秋）の後、アテナイは一〇人の将軍を一括裁判にかけ、死刑を宣告。
四〇四	**ソクラテス**、三〇人会のサラミス人レオン拘引命令に反対。	アテナイの降伏で、ペロポンネソス戦争終結（冬）。三〇人会アテナイを支配し、暴政を行なう。
三九九	**ソクラテス**告発され、死刑を宣告される。**プラトン**、後難を恐れてメガラに避難。	
三九三	ポリュクラテス『ソクラテス告発』、クセノポン『ソクラテスの想い出』。	

三八六	**プラトン**、アカデメイアに学校を開く。	
三八四	アリストテレス誕生。　デモステネス誕生。　アリストパネス没。	マンティネイア、スパルタによって分割される。

あとがき

本書を繙かれた読者は、このシリーズの他のものとは違った印象を受けることであろう。本書は体系的にまとまった一冊の本を解説するというものではない。それぞれ独立した対話篇を三篇集めたものである。もちろん、そこにはソクラテスの裁判から死に至る一つの筋があり、おのずから、生死をめぐってソクラテスの哲学を語ることになるのは言うまでもない。

しかしまた、ソクラテス哲学といったものが体系的に述べられているという期待を本書に抱くと、失望することになるかも知れない。それぞれの作品は、固有のテーマの下で繰り広げられる対話であって、これらを、あたかも体系的に書かれた書物のように、一つの枠組の中にはめること自体無理なのである。また、そうすることは、対話が持つダイナミックな側面を涸渇させることになる。対話（ディアロゴス）の方法は、ロゴスという共通の手段を唯一の手がかりに、二人（あるいはそれ以上）の間で（ディア）一つ一つ確認を重ねながら真実に迫ろうとする探求のプロセスである。そこで確認されたことは共通の論であり、それはまた、誰に対しても問わるべく開かれてあるという性質のものであって、ある権威が教説を体系的に講述するというのとは異なるのである。それゆえ読者は、書物に答えを求めているのに、逆に「君の考えは」と問いかけられ、知らず知らず対話の仲間にされてしまうのである。これは、実に巧みな哲学への誘いとも言えよう。

本書をまとめるに当たっても、この対話の精神をできるだけ生かしたいと考えた。それゆえ、通り一遍の解説に終わらず、各担当者が自分なりにテーマと取り組んで、その成果を問題提起の形で読者に問うという姿勢を守ることに努めた。そして出来上ったものは御覧の通りである。われわれの意図がどこまで実現されているか、それは読者の判断に俟つほかはない。

一九七九年四月

戸塚七郎

有斐閣新書・古典入門　　プラトン ソクラテスの弁明

1979年5月5日　初版第1刷印刷
1979年5月15日　初版第1刷発行 ©

編　者　戸　塚　七　郎

発行者　江　草　忠　允

発行所　株式会社 有　斐　閣
〒101 東京都千代田区神田神保町 2-17
電話 (03) 264-1311　振替 東京 6-370
京都支店〔606〕左京区田中門前町 44

落丁本・乱丁本はお取替えいたします　　精興社印刷・稲村製本

★定価はカバーに表示してあります

《有斐閣新書》の刊行に際して

今日ほど教育の問題が関心を集めた時代がかつてあったでしょうか。戦後の教育改革からすでに三十年、昨今の高校・大学進学率ひとつをとってみても、そのはげしい変化には驚くべきものがあります。これらの変化は高度経済成長がもたらした「消費革命」とはまったく質を異にする新しい時代の到来を感じさせます。それは一種の「意識革命」というべきものかも知れません。このような時代のなかで、きわめて多数の人びとが、主体的にあるいは創造的に「学び」かつ「知る」という欲求を強くもちはじめています。大学をはじめとするさまざまな学校、市民生活の場としての地域や職場で多種多様な講座がもたれるようになりました。現代が「開かれた大学の時代」とか「生涯教育の時代」とよばれるゆえんであります。

小社は、これまで《有斐閣双書》《有斐閣選書》をはじめとする出版活動をとおして、社会科学・人文科学の諸分野にわたる専門知識を広く社会に提供する努力をつづけてまいりましたが、このたび「専門知識を万人に」の願いをこめて、新しい時代にふさわしい出版企画《有斐閣新書》を、創業百周年記念出版のひとつとして発足させることにいたしました。

《有斐閣新書》は、現代人の多様な知的欲求に応えようとするものであり、小社が永年培ってきた学術出版の伝統を生かした新しいタイプの基本図書であります。この点で、本新書は、これまでの一般教養向きの新書とはまったく性格の異なる出版企画であり、現代における学術知識の普及への新しい使命をになうものと言えましょう。

《有斐閣新書》は、新書判というハンディな判型の中で最新の学問成果を平明に解説し、必要にして十分な内容を収めるとともに、古典の再発見に努めるなど、現代に生きるすべての人びとにとって、学問の扉をひらく際のよきガイドブックとなることを意図しております。読者のみなさまの一層のご支援をお願いしてやみません。

（昭和五十一年十一月）

プラトン ソクラテスの弁明（オンデマンド版）

2004年1月20日　発行

編　者　戸塚　七郎
発行者　江草　忠敬
発行所　株式会社 有斐閣
〒101-0051　東京都千代田区神田神保町2-17
TEL 03(3264)1315（編集）　03(3265)6811（営業）
URL http://www.yuhikaku.co.jp/

印刷・製本　株式会社　デジタルパブリッシングサービス
URL http://www.d-pub.co.jp/

AB452

ISBN4-641-90362-X　Printed in Japan